Cur y Nos

Geraint Vaughan Jones

Enillydd Gwobr Goffa Daniel Owen
2000

Argraffiad cyntaf: Awst 2000

℗ *Geraint V. Jones/Gwasg Carreg Gwalch*

Rhif Llyfr Safonol Rhyngwladol:
0-86381-649-5

Llun clawr: Keith Morris

Cynllun clawr: Elgan Davies

Argraffwyd a chyhoeddwyd gan Wasg Carreg Gwalch,
12 Iard yr Orsaf, Llanrwst, Dyffryn Conwy, LL26 0EH.
☎ 01492 642031
🖷 01492 641502
✆ llyfrau@carreg-gwalch.co.uk
lle ar y we: www.carreg-gwalch.co.uk

Er cof

am

fy rhieni

Hysbys y dengys y dyn
O ba radd y bo'i wreiddyn.

(Tudur Aled)

Dychmygol ydi pob
cymeriad a phob sefyllfa
a gaiff eu darlunio
yn y nofel hon.

Y Pry ym Mlagur Ienctid

A worm is in the bud of youth
And at the root of age.

(William Cowper)

Medi 1: Oes yr hel achau ydi hi mae'n debyg. Ac mae i hynny ei fendith a'i felltith. Bendith i rai, melltith i eraill. Tipyn o'r ddau i mi.

Mae 'coeden achau' – 'coeden!' – yn enw od. 'Dach chi'm yn meddwl? Addas mewn un ystyr mae'n siŵr, am ei bod hi'n canghennu i bob cyfeiriad; yn brigo, blaguro, deilio mewn un rhan, crino, crebachu, gwywo mewn rhan arall, fel pe bai iddi ddim tymhora. Ond coeden â'i phen i lawr ydi hi – erthyl o bren efo'i wreiddia ar goll yng nghymyla amser. Ac nid pob gwreiddyn, chwaith, mwy na phob cangen neu frigyn, sydd yn ffynnu ac yn ir.

Ym myd Natur, y gwraidd, meddan nhw, sy'n bwydo'r tyfiant. Dyna ddeudan nhw 'nde, y biolegwyr 'ma. Fel pe baen nhw'n datgan ffaith ddiymwad. Ond styriwch! Falla mai'r gwrthwyneb sy'n wir! Falla mai'r dail a'r briga sy'n noddi'r gwraidd? Y dail yn casglu dafna'r glaw a gwres yr haul, y briga'n magu sudd drwy'r gwanwyn a'r haf, a'r cyfan er mwyn bwydo a chynnal y gwreiddyn dros hirlwm y gaeaf a rhoi'r nerth iddo styfnigo'i afael yn y pridd. 'Marw i fyw mae'r Haf o hyd' meddai rhywun yn rhywle rywdro. Onid byrhoedlog, wedi'r cyfan, ydi pob deilen a phob ffrwyth? Y gwreiddyn sy'n

8

barhaol, ie ddim? A dwi am awgrymu mai holl bwrpas y broses o ddeilio a chrino, ydi i gynnal hwnnw; i'w besgi a'i atgyfnerthu, flwyddyn ar ôl blwyddyn, yn y pridd.

Os gwn i pa mor chwyldroadol ydi syniad fel'na? Oes 'na rywun erioed o'r blaen wedi cynnig y fath ddamcaniaeth gerbron gwyddonwyr byd? A phe bawn i yn gneud hynny, tybed a fyddwn i'n creu rhyw ddaeargryn mawr yn y ffordd o edrych ar Natur? Yn tanseilio neu'n gwyrdroi eu holl styriaeth o'r cread? Fyddai f'enw i wedyn, os gwn i, yn cael ei grybwyll yn yr un gwynt â dynion fel Newton a Darwin a Fibonacci?

'Nonsens!' meddach chi. 'Yr afal, wedi'r cyfan, ydi'r ffrwyth, nid y nadreddyn budur yn y pridd. Y fesen, y gneuen, y ffa . . . Bwydo'r rheini ydi holl swyddogaeth gwraidd pob coeden, pob planhigyn.' Iawn, meddaf inna'n ôl, ond holwch eich hun eto. Ai yn y gwlyddyn y mae'r maeth, ynte yn y moronyn neu'r dysen? Syllwch ar unrhyw goeden ganol gwanwyn neu haf ac fe welwch chi . . . be? Derwen braff . . . onnen ganghennog . . . castanwydden flodeuog, lawn . . . Edrychwch arni wedyn yn ei thrueni hydrefol ac yn ei noethni gaeafol a gofynnwch i chi'ch hun, 'Lle mae'i gwychder hi rŵan 'ta? Lle mae'i nerth hi? Lle mae'i chymeriad hi? Lle mae'i rhuddin hi?' Fe rof ichi'r ateb i'r cwestiyna yna i gyd mewn un cwestiwn arall – Onid yw'r cyfan ynghudd?

'Felly hefyd efo dyn. Mae iddo ynta'i wreiddia a'i ruddin. Nid yn y ceiliog dandi, wedi'i ddilladu yn y brethyn gora y gall arian ei brynu, y mae'r rhuddin hwnnw. Arddangosfa arwynebol o liw yn unig a gawn ni ganddo fo. Mae ei wreiddia fo ar y gwynab i gyd, fel rhyw betiwnia neu bansi maeth wedi'i brynu'n ddrud a'i drawsblannu mewn compost llac. Rhowch y plwc lleia iddo fo ac fe welwch chi'n syth faint o sa sydd ynddo fo, faint o ddyfnder sydd i'w brydferthwch brau. Dilidô o beth ydi o. Gwell ichi'r gŵr efo'r penderfyniad, y diawl-mewn-croen sy'n styfnig ei ffordd ac yn sicir ei feddwl. Y chwyn cyndyn os liciwch chi! Styriwch! Be, er enghraifft, ydi rhinwedd y dant-y-llew – ei flodyn gwantan ynteu'i wreiddyn di-ildio? . . .

9

Ydyn, mae'r geiria ar y sgrin yn fy mhlesio. Mae 'na rwbath yn . . . Be 'di'r gair? . . . yn . . . athronyddol ynddyn nhw. Ia, dyna fo! Athronyddol! Llenyddol hefyd! Tipyn gwahanol, tipyn amgenach i be dwi wedi arfar ei gofnodi, beth bynnag, yn y rhes dyddiaduron unffurf sy'n llenwi silff go dda wrth f'ymyl. O fyseddu'n ôl trwy dudalenna'r diweddara o'r rheini, y cwbwl a wela i ydi cofnodion di-groen fel –

Chwefror 7: a.m. Glaw trwm yn ystod y nos. Bore gwlyb, oer.
Diflastod llwyr . . . p.m. Rhyw biff ar y Mercedes. Fe all gymryd
diwrnod neu ddau i'w drin, yn ôl y mecanig. Wela i mo Kate
heddiw, felly. Diflastod go iawn!

Chwefror 24: Cip o Kate o bell pnawn 'ma. Fe welodd hitha
finna, ond smalio fel arall.

Mawrth 2: Methu byw yn fy nghroen. Heb weld Kate ers
deuddydd ac wedi methu cael gafael arni ar y ffôn. Mae hi'n
f'osgoi . . .

Y fath draffarth i gofnodi dros yr holl flynyddoedd, pan allai'r cyfan fod ynghudd ac yn gryno ar sglodyn bach ym mol y peiriant sydd bellach yn hawlio gwynab y ddesg o 'mlaen.

'Dwi'n mynd rŵan, Mr C. Mae'ch tabledi chi ar fwrdd y gegin. Cofiwch eu cymryd nhw! . . . Fe'ch gwela i chi ddydd Llun. '

'Iawn, Mrs T.' Er yn gweiddi'n ôl arni, mae f'ymateb yn freuddwydiol o bell wrth imi ddod â chlôria 1999 at ei gilydd yn ara – blwyddyn ola'r ganrif! Neu ran ohoni o leia! – a throi eto at sgrin fendithiol yr Hewlett Packard, i ddiogelu fy nghyfraniad cynta yn hwnnw.

Yna, efo ogla'r *Pledge* a'r *Windowlene* i'm hatgoffa, ac wrth i'm clustia o'r diwedd ddod yn ymwybodol o dawelwch y sugnydd llwch, 'O! Peidiwch ag anghofio'ch pres.'

Trwy ddrws agored y stafell, dwi'n clywed ei bysedd yn

cau am yr amlen ar y bwrdd bach, y papur yn crensian ym moelni drud y cyntedd. Dwyawr o waith! Decpunt! Ond mae decpunt yn lot iddi hi, debyg. Yn rhan o fywoliaeth, yn rhan o fyw. Fe dalwn i ddwywaith cymaint iddi wrth gwrs, pe bai raid, rhag colli'i diwydrwydd hi. Ond ŵyr hi mo hynny a dyw'r rheidrwydd, o'r herwydd, ddim wedi codi'i ben.

' . . . A diolch ichi, Mrs T.' Ond mae'r drws wedi hen gau o'i hôl.

Mae hi wedi mynnu agor, led y pen eto heddiw, y drysa gwydyr sy'n syllu i lawr dros y lawnt ac at yr afon. 'Mae angen yr awyr iach ar y tŷ ac arnoch chitha, Mr C.' Ddwywaith bob wythnos, forea Llun a Iau, dyna'i hadnod hi, a hynny ers pymtheng mis a mwy, ha a gaea, byth ers i Constance . . . fynd. 'Mr C' ddeudith hi bob gafael. Dyna mae hi wedi 'ngalw fi erioed. Byth 'Mr Cairns' na 'Mr Robert Cairns'. A chyfeiriodd hi rioed at Constance chwaith ond fel 'Mrs C'. A rhyw dynnu coes ar y cychwyn fu i minna ddechra'i chyfarch hitha fel Mrs T. ond fe lynodd yr enw hwnnw hefyd wrth i'r lol droi'n arferiad. Erbyn heddiw, mi fyddai 'Mrs Thomas' gen i yn swnio mor ffurfiol ac mor chwithig â 'Mr Cairns' ganddi hitha. Sut bynnag, dim ond storm o wynt a glaw yn bygwth wna'i chadw hi rhag agor y drysa gwydyr. Bora 'ma, gan nad ydi'r awyr ond clytia glas a chymyla gwynion mawr aflonydd, mae'r drysa hynny ar agor i'w heitha.

O wthio'n ysgafn yn erbyn y ddesg, mae'r gadair yn mynd â fi wysg fy nghefn i gyfeiriad y cabinet wrth f'ysgwydd chwith, y peli olwynog oddi tani'n llithro'n ddidraffarth dros goed disglair y llawr. Mi fydd brandi bach yn gysur, ac yn gynhaliaeth hefyd, siŵr o fod. Yna, â'r gwydryn yn nyth crisialog yn fy llaw, dyma ymysgwyd o'm llesgedd breuddwydiol a dilyn cyngor Mrs T. ynglŷn â'r awyr iach.

Mae'r Ddyfrdwy'n llonydd ac yn llawn, y syrthni rhwng

11

llanw a thrai wedi cydio ynddi. Rhyngof a hi mae teirllath o batio gwastad, yna hannar canllath go lew o ardd yn rhedag i lawr at y dŵr, lle mae ffawydden goprog yn hawlio talp go lew o'r lan. Dwi wedi osgoi'r olygfa yma ers tro byd ond mae rheswm yn deud na fedra i mo'i hosgo hi am byth. Rhaid imi ddod i delera efo'r gorffennol, efo be sydd wedi digwydd, efo be dwi wedi'i neud; naill ai hynny neu chwilio am rywle arall i fyw, a dydw i ddim yn barod i neud peth felly'n reit siŵr, nid ar chwara bach beth bynnag, oherwydd mae'r lle 'ma wedi costio'n rhy ddrud, ymhob rhyw ffordd, imi rŵan godi 'mhàc a'i adael. Mi fyddai rhoi'r lle yn nwylo rhywun arall yn ormod o risg beth bynnag.

Mae'r lawnt yn gwasgu'n gymen am ymylon y llwybyr di-chwyn, am fonion y ddwy goeden afal a'r fagnolia, am y gwely rhosod ac am y grugoedd yn eu gardd gerrig. Ddoe ddiwetha y torrwyd y gwair ac mae'r wybodaeth honno'n felys rŵan yn fy ffroena. Hugh'r garddwr bia'r clod am y taclusrwydd ond fi blannodd y coed a fi, yn reit siŵr, bia'r ardd gerrig. Mae'n wir i Hugh gymryd ato braidd pan ddaeth 'nôl ddechra'r gwanwyn y llynedd a gweld 'mod i wedi 'anharddu'r lawnt', chwedl ynta, efo llwyth o gerrig a phridd, a llwyni grug yn drwch styfnig dros y cwbwl. 'Fe ddylech fod wedi gadael y gwaith i *mi*, Mr Cairns. Os oedd raid cael gardd gerrig, nid yn y gwaelod yn fan'cw, mor bell oddi wrth y tŷ, y dylai hi fod. Ac os maddeuwch imi am ddeud, fe allech fod wedi gneud yn well na jyst sodro tomen o gerrig a phridd ar wyneb y lawnt. Ac i be? I gael rhywbeth mor ddiddychymyg â gwely grug!'

Er mai garddwr-rhan-amsar ydi Hugh – fydda i mond yn ei gyflogi i dorri'r lawnt unwaith yr wythnos yn ystod misoedd gwanwyn a haf, ac i dacluso'r gwrych a rhyw fanion felly yn ôl y galw – eto i gyd gellid meddwl mai fo sydd pia'r lle. Ond mae'n siŵr mai felly mae o'n meddwl am erddi eraill ei ofalaeth hefyd.

Sut bynnag, y diwrnod hwnnw doeddwn i ddim mewn hwyl i ddal pen rheswm efo fo. 'Na. Do'n i'm isio gardd gerrig yn rhy agos at y tŷ,' meddwn i wrtho fo efo sŵn pendant a diamynadd yn fy llais. Fe welais ei aelia'n codi. ' . . . Ac roedd grug yn ddewis bwriadol gen i. Yn ôl boi y feithrinfa lle prynis i'r planhigion, mae posib cael amrywiaeth o rug fel bod rhywun yn cael bloda a rhywfaint o liw yn yr ardd gydol y flwyddyn. Ond rwyt ti'n gwybod hynny dy hun, Hugh, a thitha'n arddwr profiadol.' Wnaeth o ddim byd ond rhyw gytuno'n surbwch efo'i ben ac mi fu'n ddigon pwdlyd efo fi am sbel wedyn. Mae o wedi dod at ei goed ers hynny, wrth gwrs, ond fedra i ddim llai na sylwi na fydd o byth yn rhoi o'i amsar i'r ardd gerrig a'r grug. Iawn. Mae hynny'n fy siwtio finna hefyd.

O friga'r ffawydden goch sydd â'i changhenna isa'n gwyro i sgubo gwynab y dŵr, daw trydar cynhyrfus rhyw aderyn neu'i gilydd, tra yn y gweiriach ym môn y gwrych isel ar y chwith mae sioncyn y gwair sy'r un mor ddiwyd ei sŵn. Mae'r cyfan – yr awel, yr arogleuon, gwres yr haul ar fy nhalcan, synau'r ardd . . . – yn goglais fy synhwyra ac yn deffro gwreichionyn o rywbeth y tu mewn imi. Llygedyn o be? Asbri, llonder, gobaith . . . ? Beth bynnag ydi o, mae o'n rhy annelwig imi fedru'i ddiffinio fo'n iawn, ond mae o'n profi mai Mrs T. oedd yn iawn, a bod angen symud tipyn ar fy meddwl.

Gyferbyn, ar lan bella'r afon, saif sgotwr digyffro, yn gwylio pwysa'r dŵr yn plycio ar ei lein a blaen ei enwair. Mae o yno ers meitin, fel rhyw grëyr amyneddgar yn aros ei damaid tra bod bywyd yn llifo'n ddiog ac yn ddi-hid heibio iddo. Tu draw iddo mae gwastadedda toreithiog Sir Gaer yn ymestyn i bellter y de a'r dwyrain. Nid felly'r gorllewin lle mae mynyddoedd gogledd Cymru yn anffurfio'r gorwel pell. Ac eithrio'r pelydryn unig o heulwen sy'n sgubo'i ffordd i gyfeiriad Moel Famau, dyw awyr y gorllewin yn cynnig dim cysur. Mae'r trwch o gymyla tywyll yn fan'no yn cyhoeddi glaw o fewn awr neu ddwy, a dwi'n gwybod o brofiad y bydd y Ddyfrdwy oddi tanaf yn lli coch cyn nos.

Dros ymyl ucha'r gwydryn brandi fe hoelir fy sylw ar ddrama fach sydd ar fin digwydd. Chwartar milltir i ffwrdd mae cwch, yn cludo pump o rwyfwyr ifanc, newydd ddod i'r golwg heibio tro'r afon. Medraf weld os nad clywad eu hwyl. Ychydig nes ataf, eto am y dŵr â mi ac yng nghysgod derwen geinciog drom, dwi'n gweld pâr yn caru'n gordeddog, eu hanner noethni a'u haflonyddwch yn dyst i benllanw agos eu chwant. O'r pellter yma, anodd deud pa mor ifanc neu ba mor hen ydyn nhw. Ac er fy mod yn gwenu, alla i ddim llai na theimlo'n ddig rŵan oherwydd y gweiddi anllad a ddaw o'r cwch, wrth i'r criw sylwi ar y cariadon ac wrth i'r rheini sgrialu'n ddiurddas i guddio'u noethni a'u cywilydd a'u rhwystredigaeth.

Mae'r cyfan yn dod ag atgofion chwerw-felys imi ac mae fy llygaid yn cael eu tynnu'n reddfol i chwilio am y *Potteries Maid* wrth dennyn y lanfa tu draw i'r ffawydden goch. Mae hi yno o hyd, wrth gwrs, a segurdod y misoedd diwetha i'w weld yn y llinell o lysnafedd gwyrdd lle'r bu'r dŵr yn ei llempian. Nid *Potteries Maid* ydi'i henw swyddogol hi, cofiwch, ond dyna fydd hi i mi bellach, er nad ydi Kate yn ddim mwy nag atgof poenus erbyn rŵan. Wedi'r cyfan, er mwyn honno, er ein mwyn ni'n dau, y prynais i'r cwch yn y lle cynta, ac oherwydd Kate yr ailfedyddiais i hi, am fod *Dee Gull* yn enw cwbwl ddiramant. Dwi'n cofio'r diwrnod hwnnw'n iawn. Gwireddu breuddwyd. Constance i ffwrdd am chydig ddyddia yn Llundain, yn nhŷ un o'r meibion – does gofio pa un – a Katie'n dod i dreulio'r nos. Ac yna, drannoeth y caru chwil, diwrnod cyfan ar yr afon efo basgedaid o fwyd a dwy botelaid o win i'n cynnal. O gau fy llygaid, dwi'n gallu dychmygu, eto fyth, y gwibio anghyfrifol dros wynab y Ddyfrdwy a heibio'i throada

14

mynych. Mae'r profiad yn aros fel conglfaen i 'mywyd. Mae ei chwerthin yn dal i adleisio yn fy mhen a direidi'i llygada tywyll yn llafn o dristwch trwy bob eiliad o bob dydd. Pam tristwch? Wel am 'mod i'n gallu dwyn i gof, yn boenus o glir, y rhywbeth dyfnach hwnnw tu ôl i'r disgleirdeb gynt. Am 'mod i'n dal i gofio'r ysbeidia sydyn rheini o sobri yn ein hwyl ac o syllu i ddyfnder eneidia'n gilydd. Am 'mod i'n methu dianc rhag y lleithder dwys hwnnw yn ei llygaid oedd yn brawf pendant o'i chariad tuag ataf. Mae'r atgof fel clais, yn farweidd-dra trwy f'ymysgaroedd.

Be ddigwyddodd, Katie, i erlid y gwres a'r dwyster o'th lygad? A sut mae cysoni d'anwyldeb gynt efo'r oerni a'r difaterwch a'r diflastod sydd heddiw mor amlwg? Be ddigwyddodd i greu'r fath ddieithrwch a phelltar? . . .

Dwi'n gofyn cwestiyna y gwn i'n iawn yr atab iddyn nhw. Yr hyn wnes i, wrth gwrs, oedd mynd yn hen! Magu blonag, colli gwallt, arafu 'ngham . . . A cholli'r gallu i gystadlu efo dynion iau.

'Gwranda, Kate! Mae Constance wedi mynd. Ma' hi wedi 'ngadael i a mynd 'nôl i Mericia i fyw at 'i chwaer. Does dim i'n rhwystro ni rŵan rhag treulio mwy o amsar efo'n gilydd. Fe gei di ddod yma ata i. Ac ymhen amsar, pan fydd y gyfraith yn caniatáu, fe gawn ni briodi, os mai dyna fyddi di isio . . . '

Y diwrnod hwnnw, bymtheng mis yn ôl, fe welais y dychryn sydyn yn ei llygad, y cecian ar ei gwefus, y cadarnhad o'r hyn roeddwn i eisoes wedi dechra'i synhwyro ynddi. Ac o hynny allan fe ddechreuodd y broses o bellhau; sgyrsia ffôn yn magu ffurfioldeb oer . . . eiliada o dawelwch anniddig neu gecian ansicir yn rhagflaenu'r esgusion . . . diflastod amlwg wrth i'n llwybra groesi'n ddirybudd . . . Ac fe es inna i deimlo fel crëyr ar lan afon a bod lli bywyd yn fy ngadael inna ar ôl.

Ond does yr un afon mewn lli sydd heb adael broc o ryw

fath ar ei glan. A dyna, erbyn heddiw mae'n debyg, ydi'r *Potteries Maid*. Broc diwerth . . . Diwerth? Na, ddwedwn i mo hynny, chwaith. Tra'i bod hi i lawr yn fancw ar y dŵr i'm hatgoffa, yna fydd Katie byth yn bell iawn o'm meddwl. A fydd y gobaith o'i chael hi'n ôl ddim wedi diflannu'n llwyr chwaith.

Erbyn rŵan, mae'r cwch bach efo'i lwyth ifanc wedi cyrraedd gyferbyn â mi a dwi'n gweld y pump yn syllu'n eiddigeddus ar y *Dee Gull* wrth ei hangor. Mae'r un sydd ar ei draed yn codi'i olygon fel pe bai'n synhwyro fy mhresenoldeb ac ymhen dim mae wedi tynnu sylw'r pedwar arall ataf. Dwi'n gweld eu gwyneba'n newid, cystal â deud, 'Y diawl lwcus!' ac yna maen nhw wedi mynd, y cwch a nhwtha wedi diflannu efo'r lli tu ôl i drwch deiliog y ffawydden. Ddôn nhw ddim i'm golwg eto nes cyrraedd tro'r afon yn y pelltar.

Y *diawl lwcus!* Ia, mae'n siŵr mai dyna oedd yn mynd trwy'u meddylia nhw. I'r ifanc mae arwyddion cyfoeth yn golygu popeth. Gŵr dros ei ganol oed, wedi'i ddilladu'n dda, yn nyrsio gwydryn brandi yn ei law ac yn mwynhau hamdden braf ei ardd. Y tŷ, yn ôl prisia cyrion Caer, yn werth oddeutu chwarter miliwn siŵr o fod. Cwch pwerus yn ddim amgenach na symbol segur o statws ei berchennog. A phe gallen nhw ond gweld drwy'r tŷ ac i'r garej fe welen nhw yn fan'no y Mercedes gloywddu lai na blwydd oed. 'Y *diawl lwcus!*' Ha! Dwi'n cofio fel y byddwn i, yn blentyn, yn defnyddio'r union eiria hynny wrth edliw i Whitey. Eddie White, un oedd yn ffrind o fath ac aelod o'r gang 'slawar dydd. Hynod olau ei wallt a gwelw iawn ei wedd. '*White by name, white by nature*' oedd un o'n hoff jôcs ni, ac mi fyddai Whitey yn gwenu efo ni'n ddieithriad; gwên oddefgar drist fel pe bai arno ofn pechu i'n herbyn, a cholli'i ffrindia.

'Y *diawl lwcus!*' Pam? Am fod ganddo arian gwyn yn ei bocad bob amser, dyna pam. Chwech . . . swllt . . . cymaint â

16

hannar coron weithia! Yn strydoedd cefn Bootle ganol y pedwardega, pan oedd llawar ohonon ni'n droednoeth, ac yn din-noeth hefyd yn amal, roedd swllt yn gyfoeth a deuswllt yn ffortiwn ac yn destun eiddigedd. Waeth pa lwyddiant diniwad a gâi'r bachgan – sgorio gôl chwithig efo un o'i goesa tena, ennill marblan, gesio'n gywir . . . – yr un fyddai'n hadwaith ni bob tro – 'Rwyt ti'n uffar lwcus, Whitey!' Geiria difeddwl oherwydd fe wyddem yn iawn mai hen lanc o ewyrth, plastrwr wrth ei grefft, oedd ffynhonnell garedig y cyfoeth ac mai hwnnw oedd yr unig berthynas oedd gan y bachgan ar wynab daear. *'Y diawl lwcus!'* Plentyn amddifad! Duw faddeuo inni! Ond chawson ni mo'i gwmni'n hir iawn wedyn. Fe ofalodd y diciâu am hynny. *'White by name, white by nature.'* Sut oedden ni i wybod? Yng nghanol caledi'n byw roedd pawb yn welw, ond bod ambell un fel fo yn welwach na'i gilydd. Mae'n anodd gen i feddwl am Whitey heddiw heb deimlo rhywfaint o gywilydd.

Dacw fo'r cwch yn diflannu heibio i'r tro yn y pelltar.

'Y diawl lwcus!' Roedden nhwtha hefyd yn collfarnu ond, yn wahanol iawn i mi gynt, doedd dim modd iddyn *nhw* wybod yn wahanol.

Be wna i? Rhoi caniad sydyn i Kate, er gwaetha popeth? Fydd hi ddim gartra wrth gwrs, ddim ar fora Iau, ond mi allwn adael rhyw fath o negas ar ei pheiriant atab. Fel be? Fel . . . dim byd ond tawelwch falla! Gofalu deialu'r 141 ymlaen llaw rhag iddi fedru edliw na phrofi dim. O leia fe gawn i glywad recordiad ei llais yn gofyn imi adael negas. Fe allwn neud chydig o anadlu trwm i beri anesmwythyd iddi. Fydda fo mo'r tro cynta i hynny ddigwydd chwaith. Neu be am chydig eiria dethol i ennyn cydymdeimlad neu i godi cywilydd? Na, dydi'r dacteg honno, mwy na'r un o'r lleill, rioed wedi gweithio chwaith.

Chwartar wedi hannar dydd. Be mae hi'n neud yr eiliad 'ma? Yn ei gwaith mae hi, wrth gwrs, ond nid yn gweithio.

Mwynhau coffi efo dynion iau na fi, a gneud llygada bach ar lancia iau na hi'i hun mae'n siŵr. Damia'i lliw hi! Mi fedra i ddychmygu'r llygada hynny'n fflyrtio'n gyhoeddus. A pha ddyn, wedi'r cyfan, all wrthsefyll eu swyn? Pa un ohonyn nhw, tybad, sy'n rhannu'i chyfrinacha, yn rhannu'i ffafra, fel y byddwn i'n arfar neud? Mwy nag un mae'n debyg. Mor hawdd ydi dychmygu be sy'n mynd ymlaen . . . be sydd wedi *bod* yn mynd ymlaen tu ôl i 'nghefn i ers misoedd. Pa un ohonyn nhw? Hwn'na welais i efo hi yn y caffi dro'n ôl? Roedd o tua'r un oed â hi ac roedd hi'n amlwg yn mwynhau ei sgwrs a'i gwmni ac yn fflyrtio'n agorad efo fo. Neu'r llall 'na, a stopiodd ei gar i siarad efo hi tu allan i'w thŷ ddydd Iau diwetha? Roedd hi'n or-glên efo hwnnw, hefyd. A dwi wedi gweld yr un boi wedyn yng nghyffinia'r swyddfa lle mae hi'n gweithio. Mae o'n uffar tal a llydan ei sgwydda, yn walltog ac efo llond ceg o'i ddannedd ei hun. Ond pen bach ydi'r diawl, pe bai hi ond yn sylweddoli hynny. A mae o beth bynnag bum mlynadd yn iau na hi! Be uffar sy arni hi? Mi neith unrhyw ddyn y tro iddi, debyg!

Kate! *Rhaid* imi roi'r gora i feddwl amdanat ti neu mi fydda i wedi hurtio. Rwyt ti fel lwmp calad yn fy stumog i, yn fy nghadw rhag cysgu'r nos, rhag canolbwyntio'n hir ar gythral o ddim yn ystod y dydd. Mae o fel salwch arna i. *Rhaid* imi gael dy weld di neu glywad dy lais di ryw ben o bob dydd, er 'mod i'n gwybod yn iawn fod hynny'n peri diflastod iti ac yn dy yrru di ymhellach oddi wrtha i. Dwi'n trio dy wylio di o hirbell, heb iti sylweddoli 'mod i yno, ond rwyt ti wedi mynd i chwilio amdana i rŵan, yn do? Fel pe bait ti'n disgwyl fy ngweld i ym mhob cysgod. Gofi di'r diwrnod hwnnw pan oeddet ti'n sefyll wrth dy gar ym maes parcio Lorne & Greene ar derfyn dy ddiwrnod gwaith? Roeddet ti'n chwerthin siarad efo dau o dy gyd-weithwyr. Fflyrtio oeddet ti, wrth gwrs! Waeth iti heb â gwadu. Sut bynnag, fe droist dy ben yn sydyn a 'ngweld i'n edrych arnat ti o 'nghar. Hyd yn oed o'r pelltar hwnnw mi allwn i weld dy wynab di'n gwrido am 'mod i wedi dy ddal. Yna mi ddeudist rywbeth wrth y ddau oedd efo ti gan beri i'r rheini hefyd droi i edrych arna i. Ai ti ofynnodd iddyn nhw ddod draw i 'mygwth i? Dyna oedd eu bwriad yn reit siŵr ond 'mod i wedi cael y blaen arnyn nhw.

Fe ddylai'r busnas hel achau 'ma symud fy meddwl i, gobeithio. Dydw i ond megis dechra, wrth gwrs, ond mae o'n rhywbeth sy'n mynd i waed dyn meddan nhw. Os felly, hwyrach y medra i gael Kate allan o'm meddwl, allan o fy system fel maen nhw'n deud.

Mam roddodd gychwyn i'r peth bythefnos yn ôl. Ro'n i wedi galw yn ei thŷ hi yn Hoylake ar Benrhyn Cilgwri, i roi iddi ei hanrheg ben-blwydd. Fe gafodd dipyn o sioc o 'ngweld i, dwi'n tybio. Edrychiad syn ac yna'r cwestiwn swta efo'i bwyslais, 'O ble doist *ti*, fel huddug i botas?' Ei ffordd hi o edliw fy nieithrwch, dyna feddyliais gynta. Ond ymhen eiliad neu ddwy fe welais yn amgenach. Os mai fi oedd yr huddug, yna mae'n rhaid mai'r potas oedd y parti a oedd mewn llawn hwyl. Bwrdd coffi isal ar ganol y llawr ac arno botal hannar llawn o *Tullamore Dew* a photal o *Cockburns* nad oedd bosib, oherwydd gwyrddni tywyll ei gwydyr, gweld lefal ei chynnwys. Yn ogystal â jygaid hannar gwag o ddŵr, roedd yno hefyd botal fawr blastig yn rhannol lawn o lemonêd Corona. I'r chwith o'r bwrdd, yn lledorwadd mewn cadair freichia, hynafgwr oddeutu'i bedwar ugain yn nyrsio gwydraid helaeth o'r wisgi Gwyddelig rhwng dwylo arthritig a gwrid afiach ei gernau yn bradychu'i orhoffedd o'r ddiod honno. Er mor llydan ei drwyn, gwrthodai ei sbectol â gorwedd yn sgwâr arno, a gallwn daeru, tu ôl i'r gwydyr trwchus fod tafliad yn y llygad chwith. Yn llenwi cadair arall gyferbyn, yr un mor gyfforddus ei hystum ac efo'i phenglinia'n bowld ar led, gwraig tua'r un oedran, effaith sawl *port and lemon* yn amlwg yn ei llygada, a'i dagra byw yn awgrymu chwerthin afreolus chydig eiliada ynghynt. Yn fy ngwynebu, ar y soffa tu draw i'r bwrdd coffi, gŵr arall, ynta hefyd wedi gweld o leia ddeg gwanwyn hwyliog dros oed yr addewid! Y *Tullamore* a'r dŵr oedd yn ei ddisychedu ynta. 'Robert Meredith y mab!' medda Mam yn ddiseremoni a gwelais guwch drwgdybus y gŵr ar y soffa yn troi'n wên oedd yn llawn dannadd gosod.

Ches i ddim cyfla i'w holi hi ynglŷn â gwesteion ei pharti oherwydd gynted ag iddyn nhw'i throi hi tua thre fe wthiodd Mam doriad papur newydd tuag ata i ar draws y bwrdd. 'Hwda!' meddai hi yn ei ffordd awdurdodol ffwrdd-â-hi. 'Roedd hwn'na ym mhapur ddoe ac fe dalith falla iti'i atab o.' Doedd dim rhaid iddi ddeud mai allan o'r *Daily Post* y daeth o. Dwi'n nabod ansawdd papur a phrint hwnnw mor dda.

Roedd hi'n disgwyl imi ei ddarllan yn y fan a'r lle:

Andrew Graves (1890–1946) *Any surviving relatives of Andrew Graves, otherwise known as Andrew Cairns, previously of 3 St Agnes Road, Kirkdale, Liverpool, England, are requested to contact* **Cartland & Cartland, Attorneys at Law, 1507 Scott Boulevard, Columbus Junction, Ohio 91335,** *at their earliest possible opportunity. The late Andrew Cairns / Graves sailed out of Liverpool on the* Anglesey Queen *on the 9th November 1914 bound for Baltimore, USA.*

'Dwi'n cymryd ei fod o'n un o'r teulu, Mam, ond chlywis i rioed sôn amdano fo tan rŵan.' Roeddwn i'n trio celu fy niffyg diddordab. A deud y gwir, roeddwn i ar dipyn o frys i gyrraedd Caer cyn hannar dydd, er mwyn cael cip ar Kate yn gadael y swyddfa am ei chinio, yn benna i weld pwy fyddai'n gwmni iddi. 'Sut bynnag, mae o wedi marw er 1946. Deg oed o'n i bryd hynny!'

'Be 'di'r ots?' Dydi chwartar canrif o fyw'n foethus i'w henaint wedi pylu dim ar ei meddwl hi na lliniaru chwaith y

20

styfnigrwydd digyfaddawd a fagwyd ynddi gan ofnadwyaeth rhyfal Hitler a chan y tlodi a'i dilynodd. Mae caledi yn creu caledwch mae'n debyg. 'Os na wnei *di* ymatab iddyn nhw, yna pwy neith? Neith dy chwiorydd di ddim, yn reit siŵr. Maen nhw'n rhy bell. Does 'na neb arall ond dy gefndar Paul neu'i chwaer Victoria Ruth. Ac fe wyddost ti amdanyn *nhw*! Am a wyddost ti mae 'na ffortiwn yn d'aros di ym Mericia. Rŵan, gofala dy fod ti'n sgwennu at y twrneiod 'na.'

'Ond pwy oedd o? Oes gynnoch chi syniad?'

'Oes. Brawd dy daid, ond paid â gofyn imi be ydi'r enw arall 'na . . . *Graves*. Does gen i ddim syniad o lle daeth hwnnw. Sut bynnag, mae'r cyfeiriad yn Kirkdale – 3 St Agnes Road – yn ddigon o brawf. Y cwbwl wn i ydi mai fo oedd dafad ddu'r teulu a'i fod o wedi mynd allan i Mericia o dan dipyn o gwmwl. Mi wnaeth o ryw fisdimanars, mae'n debyg, ond ches i rioed wybod be, na dy dad chwaith hyd y gwn i. Hy! Dynion! Felly bydden nhw ers talwm. Cambyhafio a dengyd wedyn i Mericia yn hytrach na gwynebu'u cyfrifoldab. Rŵan sgwenna! Os oes 'na rwbath i'w gael ar ei ôl o, yna chdi, o bawb, sy'n ei haeddu, pe bai ond er mwyn dy dad.'

Mi wn i am chwerwedd Mam tuag at deulu Nhad. Y fo, Meredith fy nhad, oedd yr hyna o blant Joseph Cairns ond am resyma na wyddai neb ond fy nhaid amdanyn nhw mae'n debyg, fe dorrwyd Nhad allan o'r ewyllys, er i'r hen sinach adael rhai miloedd i'w rhannu rhwng Simon, yr ail fab, a Ruth, y chwaer ddibriod. Dwi'n cofio'r chwerwedd yn ein tŷ ni ar y pryd a'r ffraeo a fu rhwng Nhad a'r lleill.

'Gwrandwch, Mam! Rydw i wedi golchi 'nwylo efo teulu Nhad ers blynyddoedd lawar. Rydach chitha wedi gneud yr un peth. Ddaru mi rioed ddallt yn iawn pam ond dyna fo . . . Does gen i fawr o awydd mynd ar ôl petha rŵan. Ac os oes 'na rwbath i'w etifeddu ar ôl hwn, wel does gen i ddim angan 'i bres o bellach. Sut bynnag, dwi ar dipyn o frys i fynd 'nôl i Gaer.'

'Hy!' Tôn ei llais yn awgrymu mai hi fyddai'n cael ei ffordd yn y diwadd. Yna'r newid cywair a chyfeiriad. 'Ydi Constance wedi cysylltu efo chdi wedyn?'

'Ddim yn ddiweddar.'

'Wyt ti'n gwbod lle mae hi 'ta? Ydi hi'n dal efo'i chwaer yn . . . yn . . . ?'

'Boston. Go brin. Roedd hi'n sôn am brynu tŷ yng nghyffinia . . . Philadelphia dwi'n meddwl ddeudodd hi. Mae 'na fisoedd ers hynny a'r tebyg ydi ei bod hi wedi hen symud erbyn rŵan.'

'Ydi hi'n cysylltu efo'r plant 'ta? Efo Kevin a Karl?'

'Mae'n ddigon posib, os gŵyr hi sut i gael gafael arnyn nhw. Mae hynny'n fwy nag a wn i beth bynnag.'

Duw a ŵyr lle mae Kevin, yr hyna, a deud y gwir. Dwi'n rhyw ama, yn dilyn ei gyfnod byr yng ngharchar ac wedi iddo fo a Tracy, ei gymar, wahanu, ei fod o wedi dilyn ei frawd Karl i'r Dwyrain Canol ond alla i ddim bod yn siŵr. Tracy gafodd ofal o'r plant beth bynnag, a llawn cystal ddeuda i oherwydd dwi'n ama nad Kevin ydi tad pob un o'r rheini.

'O! A chlywist ti byth ddim byd oddi wrth ei thwrna hi chwaith? Ynglŷn â sgariad dwi'n feddwl? Mae 'na flwyddyn o leia ers iddi hi godi'i phac.'

'Dim gair. Gora oll, wrth gwrs, neu mi fydd hi isio hannar y tŷ a hannar 'y mhres i.'

'Hm! Od a deud y lleia! Ddim fel hi o gwbwl. Os cofia i'n iawn, ei phres hi oedden nhw beth bynnag. Ond dyna fo, un ryfadd oedd hi . . . a chamgymeriad oedd iti briodi Americanas beth bynnag, yn enwedig un hŷn na chdi dy hun.'

Ydi, mae meddwl Mam mor finiog ag y bu o erioed. Rhaid imi fod am fy mywyd be 'dwi'n ddeud wrthi. 'Hŷn? Twt! Doedd hi fawr hŷn na fi, Mam. Saith mis, dyna i gyd.'

'Digon on'd oedd!'

Dydw i ddim wedi gweld Mam ers y diwrnod hwnnw, bythefnos yn ôl, ond mi ddaru mi'i ffonio hi am chydig o wybodaeth i roi cychwyn ar y busnas hel achau 'ma:

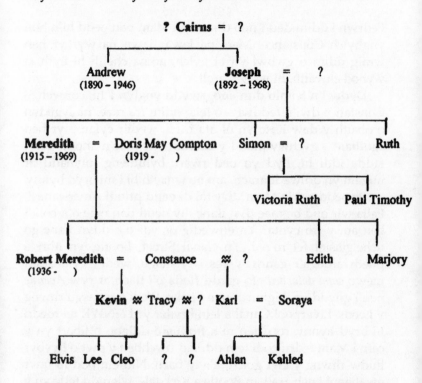

Tena ar y naw ydi'r wybodaeth hyd yma ond mi fedra i neud f'ymholiada fy hun. Doedd Mam ddim hyd yn oed yn cofio *enw* Nain ond o styried cyn lleied a wnaethon ni efo honno, dydi hynny fawr o syndod.

Mi sgrifennais i hefyd at Cartland & Cartland, y twrneiod yn Ohio. Mi ddylwn dderbyn gair oddi wrthyn nhw o fewn yr wythnos falla. Mae'r dirgelwch, erbyn hyn, wedi cydio yn fy nychymyg a fydda dim byd yn well gen i na chael ei rannu efo Kate. Falla y tria i gael gair efo hi heno.

* * *

Fedrwn i ddim deud pob dim wrth Mam pan oedd hi'n holi ynghylch Constance. Mae 'na lawar iawn na ŵyr yr hen wraig ddim o gwbwl yn ei gylch, ac na cheith hi byth ei wybod chwaith, hi na neb arall.

Dydw i'n teimlo dim euogrwydd ynglŷn â hi, cofiwch, – Constance dwi'n feddwl – o leia, ddim tra mae 'na lygedyn o obaith y daw Kate yn ôl ata i. Hi, wedi'r cyfan – yr hen sguthan! – gychwynnodd y draffarth ac mae'n anodd gen i fadda iddi hi, hyd yn oed rŵan, bymtheng mlynadd ar hugain yn ddiweddarach, am be wnaeth hi i mi bryd hynny.

Be oedd geiria Mam? 'Dy fai di oedd priodi Americanas!' Falla wir ond be mae dyn ifanc i'w neud pan mae o'n colli'i ben am y tro cynta? Yn enwedig os ydi o'n ddyn ifanc go uchelgeisiol fel ro'n i. Yn Canal Street, Bootle, yn nhri a phedwardega'r ganrif, y ces i fy magu, wedi'r cyfan, nid mewn *semi-detached* efo gardd floda o'i flaen ar ryw *Avenue* neu'i gilydd yn Aigburth neu Speke. Wedi'n gwasgu rhwng y Leeds–Liverpool Canal a lein brysur yr L&NWR fel roedd hi bryd hynny, roedden ni'n ffodus o ddigon o libart yn y cefn i Mam fedru codi lein ddillad uwchben y pwt o lwybyr lludw rhwng y cwt golchi a'r tŷ bach. Nid ein bod ni fawr gwahanol i neb arall yn Bootle a Kirkdale a llefydd felly yn y cyfnod. Efo'r wlad dim ond megis dechra codi oddi ar ei glinia ar ôl y rhyfal, roedd hi'n galad ar bawb.

Ers yn ifanc iawn, ro'n i'n benderfynol o wella fy myd, a hynny ar y cyfla cynta posib. Dreifar lorri oedd tad Mathews Bach, un o'n *gang*, a'i waith oedd cario allan o iardia rhai o ddocia prysura'r Mersi bryd hynny – Hornby, Alexandria, Langton, Canada Dock . . . Cario blawdia a bwydydd yn

24

benna, a thipyn o wefr i ni'r hogia oedd cael mynd efo fo weithia yng ngefn agorad y lorri efo'n penna'n codi'n dalog uwchben y cab a'r gwynt yn chwipio'n oer drwy'n gwalltia a thrwy'n dillad tena. Mae gen i gof i un o'r teithia anfynych hynny fynd â ni cyn bellad â stad o dai newydd yn Speke. Pan welais i'r crandrwydd yn fan'no – crandrwydd yn ôl safona'r ardal a'r cyfnod – fe benderfynais i nad yn Bootle yr oedd fy nyfodol i'n mynd i fod ac na fyddwn i'n gadael i neb fod yn dramgwydd imi rhag dengyd o'no.

Ond un peth ydi gneud addewidion, peth arall ydi'u gwireddu nhw. Haws deud na gneud, yn dydi? Roedd Nhad wedi dod adra o'r rhyfal ar fagla, ac ar fagla y bu o tan ddiwadd ei oes fer. Darn o *shrapnel* wedi hawlio padall un pen-glin oddi arno. Ar y pensiwn pitw a gâi bryd hynny, roedd hi'n amhosib cynnal teulu o bump ac mi fyddai Mam yn gneud golchi i bobol er mwyn ennill ceiniog neu ddwy ychwanegol. O'm rhan fy hun, fedrwn i ddim cyrraedd oed gadael ysgol yn ddigon buan er mwyn cael chwilio am waith. Ond doedd petha ddim mor hawdd. Roedd tada'r hogia eraill yn gweithio yn y docia neu ar y lein ac mewn sefyllfa i roi gair da dros eu meibion. Nid felly fi. Mi gafodd Mathews Bach, er enghraifft, gyfle i ddysgu dreifio ac erbyn ei fod o'n ddeunaw oed roedd o'n dreifio lorri, fel Mathews Mawr ei dad. Esu! Mae'r cenfigen o'n i'n deimlo tuag ato fo bryd hynny yn atgo byw iawn o hyd imi . . . Ac mi gafodd Jimmy Walsh waith, mwya didraffarth, ar y lein. Anghofia i byth y diwrnod y gwelis i fo yn steshon Bootle. Fi yn fan'no yn cicio fy sodla ac yn breuddwydio am gael mynd o'r twll llychlyd, myglyd ro'n i'n byw ynddo fo ac yna'r llais main yn gweiddi arna i, 'Hei! Roberto! Wyt ti isio pàs am ddim ar y ffwtplêt?' Roedd Jimmy wedi dechra bwrw'i brentisiaeth yn llnau injans stêm nes eu bod nhw'n sgleinio ac yn reidio'r ffwtplêt fel taniwr rhwng steshon Bootle a iard Doc Alecsandria. Ei freuddwyd oedd bod yn daniwr go iawn ar

25

y lein fawr. Ond er imi dybio unwaith y baswn i'n rhoi fy mraich dde am gael reidio ffwtplêt injan stêm, gwrthod wnes i, am y byddai hunanfoddhad Jimmy Walsh yn ddŵr oer ar fy mhlesar i.

Trwy lwc noeth y ces i waith yn y diwadd. Llyncu stori glwyddog i ddechra, eu bod nhw wedi dechra cyflogi unwaith eto ar Prince's Dock. Mynd ar fy hyll yr holl ffordd i lawr i Pier Head. Blinder, siom, newyn . . . Anghofia i byth anobaith y bora hwnnw. 'Na' . . . 'Na' . . . 'Na' ymhob man a phob 'Na' yn swta a dideimlad, fel pe bawn i'n faw ci ar bafin. Eistedd ar ymyl y doc efo 'nhraed blin yn hongian uwchben y dŵr du, fy sgidia tyllog wedi'u tynnu a'u gosod yn barchus wrth f'ochor. Duw a ŵyr pa mor hir y bûm i yno yn fy soriant, yn cael fy anwybyddu gan holl brysurdab y llwytho a'r dadlwytho o'm cwmpas ond fe ddois ataf fy hun mwya sydyn wrth glywad gweiddi efo sŵn dychryn ynddo fo. Pam y mynnodd y gweiddi hwnnw fy sylw yng nghanol yr holl sŵn arall, 'dwn i ddim, oherwydd roedd y lle'n llawn mwstwr efo hwteri llonga myglyd yr afon, chwyrnellu lorïa ar y cei, clip-clopian ceffyla dan bwysa trolia llwythog, dynion yn gweiddi ac yn rhegi'i gilydd, y cyfan yn anghytgord cras, digon i fyddaru dyn. Ond, tra bod pawb arall o'm cwmpas yn llawn eu helynt ac yn fyddar i ofidia pobol eraill, rhaid bod taerineb yr un llais hwnnw wedi cyffwrdd tant ynof i, oherwydd yn reddfol fe neidiais ar fy nhraed a throi i chwilio am y dychryn. Ac yno, yn rhedag yn ddall tuag ata i, roedd genath fach; plentyn fawr mwy na thair oed. Roedd hi'n chwerthin dros ysgwydd wrth ddengyd oddi wrth ei thad gan dybio bod gweiddi gorffwyll y cradur hwnnw'n rhan o'r gêm. Doedd neb arall yn cymryd unrhyw sylw. Daliai dynion i wau'n glustfyddar trwy'i gilydd. Yn yr eiliad o weld achos panig y tad fe rois fraich i rwystro'r fechan rhag plymio dros ymyl y doc a chael ei lladd. Sut bynnag, i dorri'r stori'n fyr, doedd y dyn hwnnw yn neb llai na William Epcot, rheolwr cwmni Cunard yn Lerpwl. Medrwch ddychmygu'i ryddhad, mae'n siŵr gen i. Medrwch feddwl mor ddiolchgar oedd o.

Rhaid bod golwg go druenus arna i – mi deimlais gywilydd, am y tro cynta erioed, o'm sgidia a'm sana tyllog – oherwydd mi aeth â fi i swyddfeydd y cwmni i roi imi damaid i'w fwyta. Ac am yr awr nesa, fu dim pall ar ei garedigrwydd. Pan ddalltodd 'mod i'n ddi-waith a 'mod i'n rhesymol dda am sgwennu a gneud syms, wel, mi gynigiodd waith clerc imi efo'r cwmni. A dyna hi! Ymhen deng mlynadd roeddwn i'n is-reolwr Cunard yn Lerpwl ac yn cyfarfod â phobol ddiddorol a dylanwadol. Yna, ar y bora cynta o Fawrth 1966, yn gwbwl ddirybudd, dyna ddrws fy swyddfa'n agor led y pen a chorff anfarth mewn siwt olau sgwarog yn llenwi'r bwlch lle bu. Mi adnabis i fo'n syth, fel y byddai unrhyw un oedd a wnelo fo â llonga ac â bywyd y docia yn Pier Head bryd hynny wedi'i neud. Yr Americanwr Walt Pereira, perchennog *Atlantic Lines* yn Boston, Massachussets, sef un o'r cwmnïa llonga masnach mwya i weithredu oddi ar arfordir dwyreiniol yr Unol Daleithiau. 'Digwydd bod yn Lerpwl ar fusnas,' medda fo, cyn imi gael cyfla i gynnig cadair iddo hyd yn oed. 'Dwi'n chwilio am rywun ifanc blaengar, ond rhywun sydd hefyd â thipyn o brofiad efo llonga, i gymryd gofal o 'nghwmni fi yma yn yr Iw Cê. Dwi'n agor swyddfa newydd sbon yma yn Lerpwl. Dwi isio rhywun craff, di-lol a dibynadwy a dwi wedi cael gair da i chdi. Wyt ti isio'r job?'

Mi fedrwch ddychmygu fy syndod. Rhaid 'mod i'n gegrwth. Ddeudis i ddim gair, dim ond sbio'n hurt ar y dyn. Wedi'r cyfan, cwmni cario pobol, nid nwydda, oedd Cunard a doedd gen i'n bersonol ddim awr o brofiad o drafod llonga masnach. Ond roedd o'n siŵr o fod yn gwybod hynny beth bynnag. 'Wel?'

Fe ddois i sylweddoli wedyn mai dyna'i ddull o

weithredu. Gneud ei waith ymchwil yn drwyadl ymlaen llaw ac yna dwyn y maen i'r wal yn yr amser lleia posib. Ond er ei grafftter, rhaid ei fod o wedi camddarllan yr olwg ar fy ngwynab i. Rhaid ei fod o wedi gweld amharodrwydd lle nad oedd dim ond syndod ac ansicrwydd. 'Cyflog!' medda fo yn yr un llais swta ffwrdd-â-hi, llais dyn prysur oedd wedi arfar cael ei ffordd ymhob dim. 'Mi gei di ddwywaith be wyt ti'n ei ennill yn fa'ma. Wyt ti'n derbyn?'

Derbyn wnes i, wrth gwrs, a chyn hir cael fy ngwysio draw i Boston i weld sut oedd y busnas yn cael ei redag yn fan'no. A chael gwahoddiad i swpar yn nhŷ'r dyn mawr ei hun, a chyfarfod Constance, ei ferch. Hogan drawiadol bryd hynny, yn tynnu ar ôl ei thad o ran taldra ac asgwrn corff ond bod y ploryn parhaol ar flaen ei thrwyn yn edliw gwir dlysni iddi. Hitha hefyd wedi'i breintio â natur go benderfynol ac wedi arfar cael ei ffordd. O edrych yn ôl ar betha rŵan, ei phenderfyniad hi oedd inni ddechra canlyn, a hi hefyd, yn syfrdanol o fuan wedyn, a drefnodd ddyddiad, lleoliad a holl fanylion eraill y briodas. Dichon bod gan y ffaith ei bod hi newydd ddathlu'i deg ar hugain oed rywbeth i'w neud â'i brys! Hynny, ynghyd â'i hawydd i fyw cyfnod yn yr 'Iw Cê'! Ches i byth wybod be oedd adwaith fy nghyflogwr a'm darpar dad-yng-nghyfraith i'r garwriaeth fer. Rhaid ei fod wedi cytuno i'r briodas. Hwyrach iddo groesawu'r uniad, hyd yn oed, am fod hynny'n mynd â Constance oddi ar ei ddwylo am byth! Sut bynnag, fe gydiais inna efo dwy law barod iawn yn fy nghyfla.

Fu'r briodas ddim yn hawdd. Yn reit siŵr doedd Constance ddim yn un i aros gartra i neud bwyd a llnau! Ac roedd gwaith y cwmni yn cadw fy nhrwyn inna ar y maen tan yn hwyr i'r min nos yn amal, ac yn mynd â fi dros nos, weithia nosweithia, i lefydd fel Belffast a Glasgo a Bryste. Roedd hi'n gweld dynion eraill, fe sylweddolais hynny'n fuan, ond gwadu wnâi hi bob gafael ac roeddwn inna'n methu profi dim. Mi galliodd rywfaint ar ôl geni Kevin, ond ddim yn hir. Yna, ymhen dwy flynedd, mi gyrhaeddodd Karl. Duw a ŵyr pwy ydi tad hwnnw! Dyna pam na fu gen i rioed ddiddordab yn ei hynt a'i helynt, fo na'i blant, a chollais i'r un eiliad o gwsg pan glywson ni ei fod o'n priodi Arabes ac yn troi'n Foslem. Constance yn crio oherwydd bod ganddi wyrion efo enwa fel Ahlan a Kahled, finna'n chwerthin.

Sut bynnag, yn fuan wedi i Karl adael am y Dwyrain Canol, mi gollodd Constance ei rhieni a hynny o fewn blwyddyn i'w gilydd. Ei mam fu farw gynta. Tipyn o drasiedi. Teithio adra un gaea o dŷ Peony, chwaer Constance, a chael ei dal gan un o'r stormydd eira mawr 'na maen nhw'n eu cael yn America. Y car o'r golwg am dridia o dan luwch a hitha'n fferru i farwolaeth. Trawiad calon gafodd 'rhen Walt, ar y maes golff rhyw ddeng mis yn ddiweddarach. Y sioc o golli'i wraig wedi bod yn ormod iddo, meddai rhai. Fe wyddwn i'n amgenach.

Walt oedd angor y cwmni, yn ogystal â bod yn berchen chwe deg y cant o'r cyfranddaliada. Wedi iddo fo fynd fe ddechreuodd yr hwch fynd drwy'r siop go iawn. Mi ddois i ama'n fuan fod y cyfarwyddwyr eraill, yn ogystal ag amball aelod o'r staff yn Boston, wedi dechra pluo'u nythod bach eu hunain cyn i betha fynd i'r wal yn llwyr. Roedd y diawliaid yn gwbwl ddiegwyddor! Sut bynnag, gan nad oedd 'na fawr o ddim y gallwn i'n bersonol ei neud i'w rhwystro nhw, mi ddechreuais inna greu celc i mi fy hun, heb yn wybod i Constance wrth gwrs. Wedi'r cyfan, pe bai hi'n penderfynu fy ngadael i a mynd 'nôl i America, yna fe allwn i, dros nos, fod heb na swydd na cheiniog i f'enw.

Ond wnaeth hi mo 'ngadael i . . . nid bryd hynny beth bynnag. Roedd ganddi ormod o angan fy help i achub rhywfaint ar y cwmni ac i gael cwsmer i'w brynu. Do, mi lwyddais yn rhyfeddol i weithredu ar ei rhan hi a'i chwaer

... a fi fy hun wrth gwrs! Digon ydi deud fod Canal Street, erbyn rŵan, yn perthyn i fyd ac i ganrif arall.

* * *

Fe es i Southport ben bora, i weld Victoria Ruth fy nghneithar, merch Yncl Simon. Mae'n wir mai hen sguthan ydi hi ar y gora ond mae hi'n haws i'w diodda na'i brawd, Paul. Fedra i ddim sefyll y pen bach hwnnw. A go brin y medra fo fy helpu fi, beth bynnag.

'Isio gwbod hanas y teulu? Pam?'

Ar ôl yr holl flynyddoedd, doedd hi'n ddim balchach o 'ngweld i. Safai yno ar y trothwy, ei llygada bach llwyd-ddu fel pe baen nhw'n fy herio i dywyllu ei haelwyd, llygada agos-at-ei-gilydd yn rhythu i lawr trwyn main fel llygada saethwr yn craffu dros faril gwn. Does fawr ryfadd na chafodd hi erioed ŵr!

'Wedi dechra rhoi ein coeden acha at ei gilydd oeddwn i a meddwl y gallet ti helpu. Rwyt ti wedi gneud tipyn mwy efo'r teulu na fi.'

'Bai pwy ydi hynny, os gwn i? Cau'r drws ar d'ôl.'

A chyda'r gwahoddiad cyndyn hwnnw roedd hi wedi troi ei chefn arna i gan adael imi wylio'i thin lydan yn siglo'n drom o ochor i ochor uwchben fferau chwyddedig a phytia o goesa oedd, o'r penglinia i lawr, o drwch boncyffion coed go lew. Fe'i dilynais hi i'r stafell fyw. 'Ers pryd wyt ti wedi dechra arddel dy deulu, beth bynnag?'

Faswn i ddim wedi anwybyddu'i gwawd hi oni bai bod rhaid imi. 'Dyma gyn lleiad ag sydd gen i hyd yma. Fedri di lenwi rhywfaint o fylcha?'

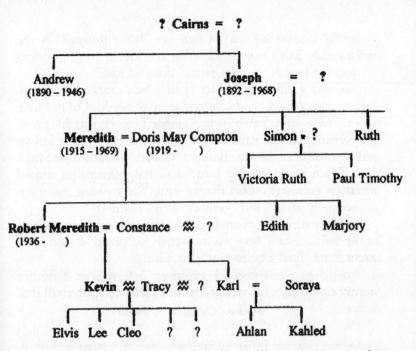

Fe'i gwyliais hi'n taflu cip sydyn dros y darn papur ac yna'n dechra gwenu'n gam. 'O! Ac nid chdi ydi tad y Karl 'na felly? Roeddwn i wedi ama. O leia fydd raid inni fel teulu ddim cywilyddio cymaint o hyn ymlaen.'

'Be wyt ti'n feddwl?'

'Am ei fod o wedi mynd i fyw fel ag y mae o, at yr Arabs 'na. O leia fe ga' i ddeud i sicrwydd wrth bobol rŵan nad ydi o'm yn perthyn yr un dafn o waed inni.'

Yr hen ast! Pwy oedd hi'n nabod yn Southport, beth bynnag, oedd ag unrhyw ddiddordab yn ein teulu ni? 'Mae o'n 'i gneud hi'n dda iawn tua'r Dwyrain Canol 'na, beth bynnag. Yn berchen ei fusnas ei hun.'

Pam y dewisais i ddeud celwydd i achub cam y basdad bach, 'dwn i ddim.

'A dwi'n gweld nad chdi ydi taid pob un o blant Kevin chwaith. On'd oes 'na ryw helynt yn dy ganlyn di, dŵad?

31

Ddaeth Constance ddim yn ei hôl, debyg? A be ddigwyddodd i'r hogan ifanc 'na roeddet ti wedi gwirioni dy ben amdani ac yn 'cau gadael llonydd iddi?'

Bu ond y dim i'r mwnci fynd i ben crats go iawn yn fan'na. Brwydyr fu cadw 'nhymar ac fe wyddai hi hynny'n iawn. 'Mae gan bawb ryw sgerbwd neu'i gilydd yn ei gwpwrdd, Victoria Ruth . . . ' Gwyddwn yn rhy dda fod yn gas ganddi ei henw llawn. 'Gofyn i Paul Timothy!' Gwyddwn yn ogystal y byddai ei hatgoffa am ei brawd afradlon yn siŵr o sobri rhagor arni. 'Sut bynnag, galw am wybodaeth wnes i, nid i wrando ar dy fustul di.'

Wrth fy ngweld yn anelu am y drws, lliniarodd rywfaint ar ei llais. 'Ista i lawr, wir Dduw! A phaid â bod mor groendena. Tyrd â beiro neu bensal imi.'

Roedd hi wedi eistedd gyferbyn â fi wedyn a dechra llenwi enwa. Cyn hir, dyma drosglwyddo'r papur yn ôl imi:

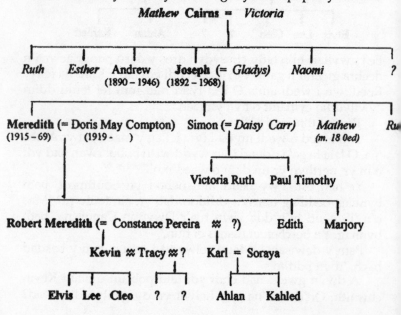

32

'Fedra i helpu dim mwy na hyn'na arnat ti. Fel y gweli di, Mathew oedd enw'r hen daid a Victoria rwbath-neu'i-gilydd yr hen nain. Fe gawson nhw chwech o blant i gyd – Ruth, Esther, Andrew . . . Sut gythral wyt ti'n gwbod dyddiada geni a marw hwnnw?' Ond wnaeth hi ddim aros am atab, diolch i'r drefn. ' . . . Joseph – *Taid* Joseph oedd *o*, wrth gwrs! – Naomi, ac un arall, hogyn dwi'n meddwl, a fu farw'n fabi. Sut bynnag, fe briododd Taid efo . . . ' Magodd ei llais dôn wamal ac anghrediniol mwya sydyn. 'Oeddet ti ddim hyd yn oed yn cofio mai Gladys oedd enw Nain?' Ac yna, i atab ei chwestiwn ei hun, 'Nag oeddat mae'n siŵr. Fyddech chi byth yn gneud dim byd efo nhw, na fyddech? Sut bynnag, fe gollson nhwtha ddau yn fabis – Esther a Paul – ac wedyn fe ddaeth Mathew a Ruth. Fe gafodd Mathew ei ladd flwyddyn cyn fy ngeni i. Roedd o'n gweithio efo Camell Lairds yn Birkenhead. Baglu a syrthio ar ei ben i mewn i Morpeth Dock yn fan'no. Deunaw oed oedd o. Rwyt ti'n cofio Anti Ruth mae'n debyg? Hi oedd yr ienga ohonyn nhw . . . '

Deuai'r enwa'n rhaeadr dros ei thafod ond doedden nhw o fawr ddiddordab imi. Be o'n i isio'i ofyn oedd – (a) a oedd ganddi unrhyw syniad pam y cafodd 'nhad, sef Meredith y mab hyna, ei adael allan yn gyfan gwbwl o ewyllys Taid Joseph, a (b) pa wybodaeth oedd ganddi am Andrew Cairns, sef brawd Taid Joseph a ymfudodd i America ar 9fed Tachwedd 1914 ac a oedd rŵan yn trio cysylltu efo'i deulu o'r bedd. Ond wnes i ddim mwy na diolch yn swta iddi a'i gneud hi'n ôl am Gaer.

* * *

Medi 5ed: Bûm yn holi Hugh pnawn 'ma ynglŷn â thocio'r coed rhosod. Deud wrtho 'mod i wedi sylwi ar ambell gangen afiach yr olwg, ei dail yn crino cyn pryd a'i drain yn gyrn caled ar ei hyd. 'Digon buan i'w tocio mewn mis arall,' medda fo, gan ychwanegu, 'Mae gan Natur ei hamser i bob dim. Tocio cyn barrug a rhew y gaea, er mwyn gneud lle i gangau ifanc y gwanwyn.' Finna'n tynnu'i sylw at dyfiant ir yr olwg ac yn rhyfeddu bod hwnnw i'w gael mor hwyr yn y flwyddyn. Chwerthin wnaeth o wedyn. 'Suckers,' medda fo, gan gyfeirio at y tyfiant meddal hwnnw ac yna'i dorri i ffwrdd yn ddiseremoni. 'Sucker ydi'r enw ar beth fel'ma. Coesyn gwan a diwerth, yn tyfu'n uniongyrchol o'r gwraidd. Dim byd amgenach na pharaseit. Ddaw dim blodyn o werth arno fo byth.'

Rhywbeth tebyg ydi coeden deulu mae'n siŵr. Honno hefyd efo'i cholfenni caled brown a'i drain pigog, a'i 'suckers' di-rif. Draenen faswn i'n galw Victoria Ruth. 'Sucker', paraseit, ydi'i brawd hi. A chainc caled iawn iawn oedd Taid Joseph, mae'n rhaid.

Mae angen tocio ar goeden deulu hefyd weithia, er mwyn gweld be'n union ydi'r cyff:

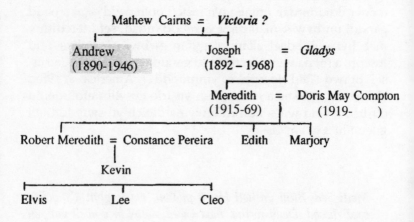

34

Dwi'n gadael enw'r hen ddewyrth Andrew i mewn am rŵan, gan mai fo sydd wedi rhoi cychwyn i'r cyfan.

Newydd sylweddoli ydw i bod cymaint o enwa beiblaidd yn britho'r teulu – Mathew, Ruth, Esther, Andrew, Joseph, Naomi . . . ! 'Sa rhywun feddwl ein bod ni'n deulu rhinweddol ar y diawl! Pwy ŵyr nad isio gwrthbrofi'r syniad hwnnw yr oedd Paul Timothy, flynyddoedd yn ôl, pan fabwysiadodd lysenw iddo'i hun, llysenw sydd wedi glynu hyd y dydd heddiw ymysg ei ffrindia. Mae rhai pobol, sydd ddim yn ei nabod yn rhy dda, yn meddwl fod ganddo ryw ddiddordab anghyffredin yng ngherddoriaeth pobol dduon America ac mai dyna pam y caiff ei alw'n 'Soul' ond fe ŵyr eraill ohonon ni'n amgenach, sef mai beiblaidd ydi'r llysenw hefyd. On'd ydwi'n ei gofio fo'n gocyn ifanc cableddus ers talwm, yn ymffrostio tröedigaeth hollol groes i un yr Apostol? 'Paul oeddwn i ond fe agorwyd fy llygaid. Saul ydw i, bellach!' Fel roeddwn i'n deud, coc oen ydi o wedi bod erioed.

Sut bynnag, o sylwi ar enwa'r teulu yn y goleuni newydd yma, fedra i ddim llai na gweld mor wahanol ydi petha yn ein cangen ni o'r goedan, yn union fel pe baen ni wedi cael ein diarddel ganddyn nhw neu wedi'n himpio oddi ar ryw dyfiant arall. Meredith oedd enw 'nhad. Does dim sy'n feiblaidd ynglŷn â'r enw hwnnw hyd y gwn i. Robert Meredith ydw inna, a feddyliais inna rioed chwaith fynd i'r Hen Destament na'r Newydd am enw i Kevin.

* * *

Welis i mo Kate pnawn 'ma, er imi eistedd awr a rhagor yn fy nghar i wylio staff Lorne & Greene yn gadael y swyddfa. Fedrwn i lai na sylwi bod dau neu dri ohonyn nhw yn fy llygadu'n fygythiol wrth fynd heibio. Hi wedi bod yn achwyn amdana i, falla. Fe sylwis fod rhywfaint o wawd hefyd yn eu hedrychiad, sy'n gneud imi ama'i bod hi wedi rhannu rhai o'n cyfrinacha ni efo nhw. Gneud sbort ohonof i fel carwr, falla! Ond wnâi hi mo hynny, siawns. Ddim Katie. Ddim ar ôl be fu rhyngon ni am yr holl flynyddoedd.

Lle oedd hi heddiw 'ta, os nad oedd hi yn ei gwaith? Nid gartre, neu mi fyddai hi wedi atab y ffôn. Ond falla'i *bod* hi yn ei gwaith! Yn gweithio'n hwyr! Ond pa fath o waith hwyr ydi'r cwestiwn? Ac efo pwy?

* * *

Kate! Y *Potteries Maid* ei hun! Dwi'n cofio, fel ddoe, y cyfweliad. A dwi'n cofio'r wên yn well fyth! 14 Bromyard Close, Stoke-on-Trent. Y wên, yn fwy na dim, a barodd i'r cyfeiriad gael ei serio ar fy nghof. Y wên a disgleirdeb annwyl y llygada. Dyna roddodd iddi'r swydd. A'r wên honno, ymhen amser, a barodd imi ailenwi'r *Dee Gull*.

Mae'r wên yn boen erbyn heddiw.

Katherine Forden – Katherine efo K! – 39 oed, 14 Bromyard Close, Stoke-on-Trent. Gradd mewn Astudiaethau Busnes, mewn hudo dynion ac mewn torri calonna. Dim llaw fer mae'n wir ond y gallu i deipio-dau-fys yn rhesymol gyflym. Cnwd o wallt disgleirddu gwyllt ac yn ffrâm o flerwch perffaith i wynab del odiaeth. Fflach amal o glun wen aflonydd. Hollt ddofn y bronna yn llygad-dynnu. Gwefusa llaith coch efo tafod awgrymog i'w lluo. Llygada gloyw, llawn bywyd, llawn direidi, llawn chwerthin. A gwên lawn addewid. Pa well cymwystera am swydd!

'Fedrwch chi ddechra ddydd Llun, Miss Forden . . . Katherine?'

Dyfnder gogleisiol y wên yn awgrymu mwy na '*Medraf, wrth gwrs!*' a fflach wen ei dannadd, wrth gystadlu â fflach y glun, yn fwy o addewid, yn fwy o anogaeth na dim arall.

Treuliais oria yn ei gwylio wrth ei desg. Treuliais oria yn

meddwl amdani fin nos. Sôn am fod yn gaeth! Yn gaeth i wên! Yn gaeth i ddisgleirdeb llygada duon. Yn gaeth i ramant ac i ramantu.

'Ddowch chi i mewn am funud, Katherine . . . Kate! Dwi isio ichi godi llythyr . . . '

Yn ystod y dyddia cynnar hynny, sawl *Annwyl Syr* diangan gafodd ei ddatgan er mwyn cael gwylio ymchwydd y ddwyfron dynn? Am ba sawl *Yr eiddoch yn gywir* y rhoddwyd amlen ddi-fudd er mwyn meddwi ar gip o glun wen? A pha sawl stamp ofer a lyfwyd gan dafod gogleisiol y wên?

'Katherine ydi'r enw, Mr Cairns! Dydw i ddim yn licio cael fy ngalw'n Kate, os nad 'dach chi'n meindio.'

Ond doedd ei gwên yn ddim llai annwyl, serch hynny, fel pe bai hi ddim am imi ei chymryd o ddifri. A *Kate* neu *Katie* fu hi wedyn, ond nid yng nghlyw neb arall. 'Ddowch chi i mewn am eiliad, Miss Forden?' Wrth gwrs, mi fyddai rhai o'r lleill yn taflu cip awgrymog ar ei gilydd wrth weld Kate yn ufuddhau, ond cenfigen oedd peth felly. Yna, gynted ag y byddai'r drws yn cau o'i hôl, 'Dwi am iti godi llythyr, Kate. Eistedda yn fan'na lle y medra i dy weld di'n iawn!' Bryd hynny, mi fyddai hi'n smalio edrych yn ddig arna i am fod mor hy, ac yn croesi a dad-groesi ei choesa wedyn, cystal â deud 'mod i'n llygadu gormod arnyn nhw, tra ar yr un pryd yn tynnu'n ofer wrth hem ei sgert gwta. Ond fe wydden ni'n dau mai gêm oedd hi rhyngom; gêm i 'nghynhyrfu fi ac iddi hitha wedyn gael mynd 'nôl i fysg y genod eraill a gneud pâr o lygada oedd yn awgrymu bod y bòs yn dipyn o dderyn.

Faint sydd ers y dyddia cynnar hynny? Tair? . . . Pedair blynedd? Mae'r dyddiadur wrth law, i'm hatgoffa: – 2 Mehefin . . . Pa flwyddyn? . . . **1997** medda rhifa aur y clawr:

Cyfweld tair pnawn 'ma am swydd ysgrifenyddes newydd. Penodi Katherine Forden, 37 oed o Stoke-on-Trent. Edrych ymlaen iddi ddechra fore Llun. Llawer o waith ar ei chyfer.

Ydw, dwi'n cofio sgwennu'r cofnod yn iawn ac yna, wedi'i ailddarllen, yn penderfynu ychwanegu'r geiria ola, rhag ofn llygada busneslyd Constance a'i cham-ddallt arferol hi.

Mi fûm i'n barchus iawn o Katie am bythefnos a mwy, nes inni ddechra dod yn ddigon hy ar ein gilydd. Ond hyd yn oed wedyn, tra oedd yn y swyddfa roedd hi'n mynnu cadw ffurfioldeb. 'Mr Cairns' oeddwn i ganddi bob gafael.

'Robert, Kate! Sawl gwaith sydd raid imi ddeud?' Llais yn ffugio dwrdio. 'Mae'n well gen i weithio mewn awyrgylch anffurfiol, gyfeillgar. Gofyn di i'r genod eraill.'

O'i hymateb, fe ges yr argraff ei bod hi wedi cael barn y rheini'n barod. 'Mae'n ddrwg gen i, Mr Cairns, ond fedra i ddim. Fedra i mo'ch galw chi wrth eich enw cynta. Fe ges fy nysgu fod ysgrifenyddes bersonol bob amser i fod i ddangos parch tuag at swydd, a dyna ydw i am ddal i'w neud, os nad 'dach chi'n meindio. Ac fel roeddwn i'n deud y dydd o'r blaen, mi fyddai'n well gen inna gael fy ngalw'n *Katherine*, neu Miss Forden hyd yn oed.'

Oedd, mi oedd rhywfaint o gerydd yn ei llais, ond fedrai hi ddim celu'r disgleirdeb a'r dyfnder chwerthin yn ei llygaid. Ac ymhen amser, mi flinodd ar drio sbio'n ddig.

Gorffennaf 23: . . . *1997 o hyd* . . . *Cyfarfod cynrychiolwyr cwmni Marshall & Dunn dros ginio yn y Stag & Hounds. Miss Forden yno i godi cofnodion o'r drafodaeth. Hi'n creu argraff amlwg ar y ddau ac un ohonyn nhw'n fflyrtio'n agored efo hi. Camgymeriad oedd mynd â hi.*

Gorffennaf 25: . . . *K. yn gwrthod dod am swper i'r Stag & Hounds. Trefniant blaenorol yn rhwystyr.*

'K' am Kenneth, Constance, pe bait ti'n holi!

Awst 9: Cinio efo K. yn y Stag & Hounds. K.'n dangos mwy o siom nag oedd raid oherwydd bod cynrychiolwyr Marshall & Dunn heb ymddangos. Mae'r contract wedi'i arwyddo ers deuddydd ond doedd K. ddim i wybod hynny!

Y diwrnod hwnnw, Awst y nawfed, mae'n beryg 'mod i wedi trio symud yn rhy gyflym, a thrwy hynny ei dychryn hi. Fi drefnodd y cyfarfod a gofyn iddi ffonio'r Stag & Hounds iddyn nhw gadw bwrdd i bedwar at un o'r gloch. 'A gofyn am fwrdd mewn congol go dawal, Kate, lle medrwn ni drafod busnas heb gael ein styrbio. Wrth y ffenast uwchben yr afon os yn bosib.' Roedd gen i fwrdd arbennig mewn golwg, ond ddwedais i mo hynny wrthi hi . . .

'Hannar awr wedi un!' Rhaid oedd smalio anniddigrwydd. 'Lle gythral maen nhw sgwn i? Mi a' i i ffonio i weld be sydd wedi digwydd iddyn nhw. Mi fûm i'n flêr ar y diawl i beidio dod â'r ffôn symudol efo fi.' Cyfrwys, nid blêr! Er mwyn cael esgus i'w gadael gan smalio mynd at y ffôn yn y cyntedd. Yna, funuda'n ddiweddarach, 'Maen nhw'n methu dod. Rhyw fusnas arall pwysicach, meddan nhw. *Pwysicach* am fod ein contract ni yn gwbwl ddiogel mae'n debyg, wedi cael ei arwyddo'n barod a'i anfon i'n cyfreithwyr ni.' 'O!' 'Dwn i ddim hyd heddiw ai rhyddhad ynte siom ynte amheuaeth oedd yn yr ebychiad bach hwnnw; rhyddhad bod y contract yn ddiogel, siom bod un, o leia, o gynrychiolwyr Marshall & Dunn heb ymddangos, ynte amheuaeth mai bwrdd i ddau a fwriadwyd gen i o'r cychwyn.

'Sut bynnag, Kate, fe gymrwn ni ginio cyn mynd 'nôl i'r swyddfa. Be sy gen ti awydd?'

Salad a ham oer oedd ei dewis hi, dwi'n cofio, ac er imi bwyso arni i gymryd rhywbeth rhagarweiniol, pe bai ond cawl neu salad corgimwch, gwrthod wnaeth hi. Gwrthod unrhyw bwdin wedyn hefyd. Sut bynnag, deirgwaith i gyd yn ystod y pryd y rhoddodd hi ei llaw dros ei gwydyr i wrthod rhagor o win efo'i chinio ond ildio dan bwysa bob tro. Dw inna'n medru bod yn reit benderfynol weithia hefyd! Ac yna yn y car ar y ffordd wledig yn ôl i'r swyddfa, efo'r haul yn taro'n boeth drwy'r ffenast, fe welwn ei llygaid hi'n mynd yn drymach wrth y funud. 'Wyt ti'n teimlo'n iawn, Kate?' Roedd yn beth naturiol imi lywio'r Merc i gysgod coed ar ymyl y ffordd.

'Dwn i ddim ai fy llais ynte fy llaw ar ei phen-glin a'i dychrynodd hi o'i chwsg ond fe neidiodd nes bron daro'i phen yn nho'r car. Yn yr eiliada hynny fe ddiflannodd pob anwyldeb o'i llygaid wrth i'r dychryn droi'n ddicter ac roedd 'na galedwch diarth i mi yn ei llais. 'Peidiwch â meiddio gneud hyn'na byth eto!'

Do, mae'n beryg 'mod i wedi trio symud yn rhy gyflym y diwrnod hwnnw. Fe geisiais achub fy ngham wrth gwrs ac ymddiheuro ond fu dim gair pellach rhyngon ni weddill y daith ac fe arhosodd hitha'n gwbwl effro. Am ddyddia wedyn mi fûm yn gofidio 'myrbwylltra, oherwydd roedd tyndra wedi magu rhyngom yn y swyddfa a gallwn synhwyro bod y merched eraill yn ama neu yn gwybod be fu. Yn waeth na dim, doedd byth arlliw o wên pan fyddai hi'n edrych arna i, ac roedd y cynhesrwydd a'r disgleirdeb wedi mynd o'i llygad.

'Be s'arnat ti? Wyt ti'n sâl? . . . Oes 'na rwbath yn y gwaith sy'n dy boeni di? . . . '

Sŵn arthio yn fwy na phryder oedd yng ngwestiyna Constance.

' . . . Rwyt ti â dy ben yn dy blu ers dyddia, heb fath o sgwrs na gair sifil i'w gael gen ti. Be gythral sy'n bod arnat ti dŵad?'

Cau dy geg a meindia dy fusnas! Dyna oeddwn i isio'i ddeud wrthi, ac edliw iddi'r affêr efo pwy bynnag oedd yn dad i Karl, a sawl affêr arall, mae'n siŵr, na wyddwn i ddim amdanyn nhw. Ond calla dawo, meddai'r hen air, ac fe ges inna'r gras i neud hynny.

Y ffaith oedd fod Kate wedi dechra hawlio fy mywyd i. Tu ôl i'r ddesg yn y swyddfa roeddwn i'n methu'n lân â chanolbwyntio ar waith y dydd; byth a hefyd yn meddwl am esgus i'w galw hi i mewn, i godi llythyr neu i ddod â rhyw ffeil neu'i gilydd inni gael trafod ei chynnwys. Gartre, ac yn enwedig yn fy ngwely'r nos, fedrwn i ddim peidio meddwl amdani'n noeth yn fy ochor. Fedrwn i ddim cau fy llygada heb weld ei llygaid hi, efo'r dychryn a'r fflach o ddicter ynddyn nhw i ddechra, ond yna, wrth i boen y profiad hwnnw gilio, efo'r disgleirdeb a'r anwyldeb chwerthinog unwaith eto. Mor wahanol y gallasai'r daith honno yn ôl o'r Stag & Hounds fod wedi bod: Kate efo'i llygaid yn loyw ac yn llawn direidi awgrymog dan effaith y gwin, ei thafod yn chwarae'n bryfoclyd rhwng gwefusa cochion, ei sgert yn gwteuach nag y bu hi erioed o'r blaen wrth iddi groesi a dadgroesi ei choesa'n hudolus; 'Robert, oes raid inni fynd yn ôl i'r swyddfa ar dywydd mor braf? Fedri di ddim ffeindio rhyw lannerch ddeiliog inni? Rhywle tawel, lle na chawn ni mo'n styrbio?' Dim problem! Roedd digon o lefydd felly ar gyrion Caer; mwy fyth ar lechwedda coediog gogledd Cymru. 'Wyt ti wedi bod ym mhen Moel Famau erioed, Kate?' Nag oedd hi. 'Be am Ddyffryn Ceiriog a mynyddoedd y Berwyn? Mae 'na lefydd anial iawn yn fan'no.' 'Swnio'n grêt, Robert. Pryd wyt ti am fynd â fi?' 'Ac mae gen i gwch ar y Ddyfrdwy. Sut fyddet ti'n hoffi diwrnod ar yr afon?' 'Picnic a photelaid o win?' 'Wrth gwrs! Dwy botelaid!' Chwerthin dibryder braf, a dyfnder ei llygaid yn deud cyfrola, ac yn benna oll, 'Robert, dwi'n dy garu di. Dydw i ddim isio edrych ar yr un dyn arall. Dim ond ti sydd â hawl arna i.'

Fisoedd yn ddiweddarach y ces i wybod pam bod Kate wedi bod mor awyddus i adael Stoke ac i gael y swydd yng Nghaer. Rhai o'i chydweithwyr yn y swyddfa yn hel clecs uwchben eu cinio a finna'n digwydd bod o fewn clyw. Y cariad yn Stoke wedi gneud tro sâl efo hi. Dyna oedd eu stori nhw. Ar ôl chwe blynedd o gyd-fyw, roedd o wedi ffeindio partner newydd. Codi'i bac heb unrhyw rybudd ymlaen llaw. Kate yn dod o'i gwaith un diwrnod i fflat hannar gwag; ei hannar o o'r wardrob yn wag, y sterio, y teledu a'r peiriant fidio wedi mynd a nodyn oer yn ei haros – 'Katherine, mae teimlada'n newid. Dwi mewn cariad efo rhywun arall. Mae'n ddrwg gen i. Colin.' Rhyw ddau air am bob blwyddyn y buon nhw ynghyd! Dyna werth eu perthynas i'r cachwr! Ond châi hi ddim cam gen i. Ro'n i'n benderfynol o hynny. Ac fe wnes addewid ar y pryd y byddwn i'n cadw golwg arni bob dydd, a phob nos hefyd cyn bellad â bod hynny'n bosib.

* * *

Medi 9: Gair yn cyrraedd o Columbus Junction, Ohio, heddiw. Cartland & Cartland, Attorneys at Law, isio mwy o wybodaeth gen i. Angen prawf o bwy ydw i; prawf 'mod i'n perthyn i Andrew Cairns. Roeddwn i'n ama na chawn i ddim byd ond trafferth efo'r holl fusnes. Fe gân nhw fod! Wedi'r cyfan, mae gen i well petha i'w gneud efo f'amser. Kate yn gweithio'n hwyr eto heno!

* * *

Medi 15: Reid mewn sioe ydi bywyd. Nid un o'r petha troi-yn-ei-unfan 'ma sy'n cadw rhywun yn chwil yn barhaus ond rhywbeth sy'n gynnwrf o daith, yn cyffroi'r gwaed. Dringo i uchelfanna pleser a gobaith, oedi'n ddisgwylgar ar ben y byd, teimlo gwefr ac ofn y cwymp cyn iddo ddod. Yna'r plymio hunllefus sy'n cydio yn yr anadl ac yn ei ddwyn. Ond dydi'r disgyn, mwy na'r esgyn, ddim yn ddiderfyn. Rhaid i bob dringo gyrraedd rhyw gopa; rhaid i bob syrthio gyrraedd rhyw waelod. A'r eithafion hynny o godi a disgyn ydi pegyna'r reid; nhw sy'n rhoi lliw a phwrpas ac ystyr i bob dim. Ac yn y disgyn y mae'r cyffro a'r wefr fwya bob amsar . . .

Unwaith erioed y ces i fynd i Blackpool . . . tra yn blentyn dwi'n feddwl. Dwi wedi bod yno sawl gwaith wedyn, wrth gwrs. Ro'n i tua deuddeg oed ar y pryd ac wedi cael job penwythnos yn cario allan o siop Carltons' Grocers, ar y gongol rhwng Kirk Street a Church View. Heblaw am y pres – pedwar swllt a chwe cheiniog am nos Wenar a bora Sadwrn – roeddwn i hefyd yn cael defnydd beic, un o'r petha trwm rheini efo lle i fasgiad uwchben ei olwyn blaen a phlât haearn du o dan y bàr efo'r enw *Carltons* mewn gwyn arno. Dyna'r unig feic ges i erioed, ac am wythnosa fi oedd brenin fy nghongol i o Bootle, yn chwibanu fy ffordd yn llwythog ac yn dalog ar hyd y strydoedd coblog a gwibio'n ôl yn wag, efo 'nhrwyn ar y llyw, trwy rwydwaith strydoedd culion y cefn.

Sut bynnag, yn fuan wedi'r Nadolig y flwyddyn honno fe ymddangosodd postar yn ffenast y siop yn hysbysebu trip i Blackpool ar y dydd Sadwrn ola o Ebrill. Diwrnod yn y ffair fawr, cyfla i fynd i ben y tŵr ac, i'r rhai oedd yn dymuno, tocyn i'r gêm yn y pnawn rhwng Blackpool a Lerpwl. Roedd yr hogia i gyd, wrth gwrs, ac eithrio Whitey druan, yn daer am gael mynd. Doedd gwylio Lerpwl adra yn Anfield ddim yn newydd inni wrth reswm ond roedd meddwl am weld Billy Liddell a'i dîm yn herio mawrion fel Harry Johnston a'r ddau Stanley – Mortenson a Mathews – ar eu tomen eu hunain yn ddigon i gynhyrfu gwaed unrhyw un ohonon ni. Yn ôl y postar, roedd siop Carltons yn barod i redag ffỳnd bach ar gyfar y rhai oedd isio cynilo at gael mynd.

Ta waeth, mi ddechreuis i gadw swllt yn fwy i mi fy hun bob wythnos a chlywis i mo Mam yn edliw dim, chwara teg iddi, o weld fy nghyfraniad at fy nghadw yn syrthio o dri a chwech i hannar coron. Erbyn y Sadwrn penodedig roeddwn i wedi talu ymlaen llaw am y cludiant ac am y tocyn i'r gêm – swm sylweddol o ddeuddeg swllt a chwe cheiniog – ac roedd gen i wyth swllt a naw ceiniog dros ben, yn bres gwario.

Gêm ddi-fflach a di-sgôr oedd hi, dwi'n cofio, ond doedd hynny nac yma nac acw. Onid oedden ni wedi sefyll yn Bloomfield Road i wylio'r mawrion yn y cnawd? Onid oedden ni wedi cael gweld Mathews, dewin y bêl, yn gwau ei ffordd dros y llain a Mortenson yn codi'n gawraidd i benio'r bêl drom jyst dros y bar? Ac onid oedd ein tîm wedi dod oddi yno efo pwynt? Roedd ein ffiol yn llawn.

A chyn hynny, wel . . . ! Bora a rhan go lew o'r pnawn yn gwario'r wyth swllt a naw ceiniog yn y ffair, ar gandi fflòs a chocos a tsips . . . a'r *Grand National*! Dyna, dwi'n cofio, yr enw cyffrous ar y *figure of eight* (neu'r *big dipper*) arbennig hwnnw. Trac dwbwl a'r ddau gerbyd yn cychwyn i'r entrychion efo'i gilydd, Jimmy Walsh a Mathews Bach ar un, Fred Carson a finna ar y llall, a fflyd o ddieithriaid sgrechlyd o bob oed yn gwmni inni. Y codi am y tro cynta un oedd waetha, ein gwrhydri ffug yn gryndod o'n mewn, am na wydden ni be oedd yn ein haros. Ac wedi'r dringo, y lefelu ennyd i edrych i lawr ar y byd, ac i holi tybad oedd y sgerbwd o goed yn rhy simsan i'n dal? Beth pe bai'r cyfan yn chwalu fel matsys oddi tanom? Ond, efo'r pwt o drac gwastad yn diflannu'n fygythiol o'n blaen, doedd dim amsar i oedi efo meddylia felly. Mi fethais fygu'r sgrech, er taeru'n wahanol wedyn. Ar ôl hynny, chaed dim amsar i gymryd gwynt wrth i'r ddau gar blymio a chodi am yn ail, fel dau farch yn ymgodymu'n rhwydd efo rhwystra anfarth 'Aintree', a chrafu'n swnllyd wyllt rownd y troada pren. Roedd un cwymp – *Beecher's Brook* falla – yn codi mwy o ddychryn na'r lleill, oherwydd ei fod ar ddwy lefel, efo astell neu grwbi annisgwyl hannar y ffordd i lawr yn bygwth ein taflu ar ein penna allan o'r car, fel jocis yn bendramwnwgl dros benna'u meirch. Dyna uchafbwynt y reid yn reit siŵr, oherwydd ar ôl hynny roedd pawb yn barotach i ymlacio a mwynhau.

Fe garen ni fod wedi eistedd yn y car am ail reid ond, efo

cymaint yn y ciw tu allan, châi hynny mo'i ganiatáu. Mi fuon ni wedyn ar yr olwyn fawr, ar y ceir taro, yn trio'n llaw ar saethu ac ar daro cnau coco ond, yn dilyn y *Grand National*, diniwad ar y naw oedd petha felly inni, er i Mathews Bach greu peth cyffro wrth siglo'n beryglus o fwriadol yn ei grud reit ar frig yr olwyn fawr pan oedd honno wedi aros eiliad i roi cyfla i eraill ymuno efo'r cylch. Rhai da oedd yr hogia! Nhw oedd y ffrindia gora . . . a'r rhai ola! . . . ges i erioed.

. . . *Rhaid imi gynnig mynd â Kate i Blackpool. Mi fyddai hi wrth ei bodd ar y Grand National, pe bai modd mynd â hi. Ond mae'r reid honno wedi hen fynd, gwaetha'r modd. Dydi hi'n ddim mwy na rhamant y gorffennol erbyn hyn. Wrth gwrs, mae'r ffair yn bod o hyd, ac mae yno figure of eight hefyd – un tipyn mwy urddasol na'r hen rwydwaith simsan o bren gynt. Mae sgerbwd metel hwn yn loyw yn yr haul. Ac mae'r ifanc yn y ciw yn chwerthin yn ddibryder yng ngwynab y dychrynfeydd sy'n eu haros. Does dim clwt ar din trowsus yr un ohonyn nhw na thwll yng ngwadan yr un esgid. Her ddiberygl ydi'r reid, dyna i gyd, ac maen nhw'n ddiamynedd am gael profi pob gwefr arni. Tybed, ymhen blynyddoedd i ddod, a fyddan nhwtha'n edrych dros ysgwydd efo gwên hiraethus, pan fydd y reid yn ddim mwy nag atgof pell? . . .*

I mi, heddiw, mae collad ar ôl yr hen rwydwaith o goed simsan gynt, ac mae hiraeth am chwerthin yr hogia yn fy nghlust. Hiraeth am ffrindia.

Gwnaf! Mi ofynna i i Kate ddod efo fi i Blackpool.

. . . *'Wedi syrthio oddi wrth ras'. Mae blynyddoedd ers imi glywed y dywediad yna. Mi fyddai Maggie Phelps – Maggie-drws-nesa – yn ei ddefnyddio fo'n amal yn ei sgyrsia-ben-drws efo Mam ers talwm . . .*

'Mae o wedi syrthio oddi wrth ras eto, Doris.' Ei llygada'n troi'n awgrymog yn ei phen.

'Pwy, Maggie?'

'Wel y dyn Smith 'na sy'n byw yn nymbyr ffôr . . . ' Yna'r closio cyfrinachol ond heb ostwng llais. 'Wedi'i ddal efo Joan Evans, merch y siop.' Gostwng y llais go iawn rŵan, am 'mod i o fewn clyw. 'Y ddau wedi'u dal yn caru yn warws Foulkes Evans . . . Yng nghanol y sacha tatws!' Dwi'n cofio hyd heddiw sŵn y gorfoledd yn y geiria ola.

'Tewch 'da chi!'

'Ac nid dyma'r tro cynta iddo syrthio oddi wrth ras . . . '

'Go brin bod y bai i gyd arno *fo*, Maggie.'

'Ti'n iawn, Doris, wrth gwrs. Does dim achub arni hitha chwaith. Duw a ŵyr sawl gwaith y mae *hitha* wedi syrthio oddi wrth ras hefyd, ond ei bod hi wedi bod yn lwcus i beidio cael ei dal . . . tan rŵan! Ond mae cwymp yr hen slwtan wedi dod o'r diwadd.'

Yn blentyn yn f'arddega cynnar, roedd y math yna o syrthio oddi wrth ras yn apelio'n arw ata i a gofidiwn fod Joan Evans y Siop, a hitha'n hogan mor handi, gymaint yn hŷn na fi. Roedd ei chwymp hi yng nghwmni Mr Smith Nymbyr Ffôr yn swnio'n beth cyffrous iawn, ro'n i'n meddwl; yn wefr deilwng o'r *Grand National* yn Blackpool unrhyw ddiwrnod.

* * *

'Wel? Wnest ti rwbath efo'r busnas America 'na?'

Mae ganddi ffordd o ofyn sy'n awgrymu ei bod hi'n gwybod yr atab yn barod.

'Do, Mam. Mi sgwennis.'

'A . . . ?'

'Twt! Dim byd ond traffarth! Mi ges air yn ôl yn gofyn imi yrru prawf o bwy ydw i.'

'Ia?'

Mae'n gas gen i gael fy ngwthio i gongol ganddi. 'Ia be?'

Dwi'n ei chlywad hi'n cymryd ei gwynt i mewn yn ddiamynadd ar ben arall y lein. 'Ia be nest ti? Ddaru ti anfon atyn nhw?'

'Ddim eto.'

'Ond mi wnei, decinî?'

'Wrth gwrs!' Rwbath i gau'i cheg hi.

'Taro'r haearn tra mae o'n boeth, dyna sy'n bwysig.'

'Pa brawf fedra i ei yrru? Copi o'm tystysgrif geni? Copi o'm trwydded yrru?'

'Dim ond iti oedi llawar iawn mwy ac mi gei anfon copi o dy lyfr pensiwn iddyn nhw.' Does dim ymgais i guddio'r dychan cyn i'r teclyn ffeindio'i grud yn fwy swnllyd nag arfar.

Mi geith copi o'r dystysgrif geni neud y tro. A fory, tra bydd Katie wrth ei gwaith, mi a' i i'r Llyfrgell yn William Brown Street, Lerpwl, i'r Adran Archifau, i ymchwilio tipyn i hanas fy nheulu.

* * *

Gartra, yn ddyn blin a chwerw, dwi'n cofio 'nhad. Mi fyddai'n gas ganddo orfod gwrando ar sŵn plant yn chwara yn y stryd tu allan a doedd o mo'r person mwya poblogaidd yn Canal Street y dyddia hynny yn reit siŵr. 'Rhaid ichi drio dallt.' Sawl gwaith y dwedodd Mam y geiria yna wrth fy chwiorydd a finna? 'Nid fel'ma oedd o ers talwm. Y rhyfal sy wedi'i neud o fel'ma.'

Anodd i mi, anoddach i Edith a Marjory am eu bod nhw'n iau wedyn, oedd cysoni drwgdymer yr hen ddyn efo rhywbeth oedd wedi digwydd mor bell yn ôl, yn y dyddia na allwn *i*, hyd yn oed, ond prin eu cofio.

'Rhaid ichi sylweddoli nad ydi hi ddim yn hawdd i ddyn ifanc fel fo dderbyn na fedar o byth weithio na cherddad yn iawn byth eto. Rhaid ichi drio dallt sut mae o'n teimlo.'

47

Ifanc? Nhad yn ifanc? Doedden ni ddim hyd yn oed yn dallt Mam, heb sôn am ddallt Nhad.

'Dydi'ch tad erioed wedi arfar â bod yn segur . . . '

Dwi'n gweld rŵan, wrth gwrs – doeddwn i ddim ar y pryd – pam bod y bagla pren yn cael eu hyrddio weithia ar draws llawr y tŷ mewn ffit o dymar, neu eu waldio'n ddidrugaradd yn erbyn postyn gwaelod y grisia.

Cyn cychwyn am Lerpwl mi rois ganiad i Mam yn Hoylake. 'Deudwch i mi, be oedd enw llawn yr hen ddyn?'

'Dy dad wyt ti'n feddwl? Enw llawn dy dad?'

'Ia. Oedd 'na rwbath mwy na Meredith Cairns yn 'i enw fo?' Ro'n i'n clywad cwestiwn eto'n ffurfio ganddi ar ben arall y lein a phrysurais i'w atab cyn iddo gael ei ofyn. 'Isio mynd i'r archifdy ydw i, i neud tipyn o ymchwil ar y teulu. Mi fydd gen i angan 'i enw llawn o. Ac enw llawn Taid Joseph hefyd, a thad hwnnw os ydw i am ddod o hyd i unrhyw wybodaeth.'

'A!' Daeth sŵn plês i'w llais. 'Rwyt ti am anfon i Mericia! Da iawn.' A chyn imi gael cyfla i ymatab y naill ffordd na'r llall fe aeth ymlaen i roi tipyn bach o sioc imi, 'Yn ôl ei dystysgrif geni, a'i dystysgrif marwolaeth, *Már*edith oedd 'i enw fo, nid *Mér*edith. M.A.R.E.D.Y.D.D.'

Rhaid bod fy syndod i'w glywad yn fy nhawelwch.

'Enw Cymraeg ydi o, mae'n debyg. Paid â gofyn pam. Doedd dy dad, ei hun, ddim yn gwybod.'

'Nid dyna ydw *i*, gobeithio? Robert Máredydd?'

'Nage siŵr. Fe roeson ni sillafiad call i d'enw di.'

* * *

Cyn cychwyn am Lerpwl, fe rois hefyd un caniad i Kate, gan wybod yn iawn be i'w ddisgwyl – 'Mae'n ddrwg gen i nad wyf i mewn ar hyn o bryd. Gadewch neges os ydych am imi'ch ffonio yn ôl.' Wnes i ddim gadael negas, wrth gwrs. Fe rof gynnig arni eto heno falla.

* * *

'Mae'n ddrwg gen i, syr, ond os mai yn 1915 y cafodd eich tad ei eni, yna fedrwn ni mo'ch helpu chi rhyw lawar, mae gen i ofn. Ar Gyfrifiad 1921 y byddai ei enw fo wedi ymddangos gynta, a fydd manylion y cyfrifiad hwnnw ddim ar gael tan y flwyddyn 2021.' Am ei bod hi'n gweld golwg ddi-ddallt arna i, fe aeth ymlaen i egluro, ' . . . 'Dach chi'n gweld, mae manylion unrhyw gyfrifiad yn gyfrinachol am gyfnod o gan mlynadd.'

'O!' Roedd ei geiria wedi mynd â'r holl wynt o'm hwylia.

'Ond mi *fedrwch* chi ymchwilio i deulu'ch taid, wrth gwrs. Hynny ydi, os mai yn Lerpwl 'ma y cafodd o ei eni neu ei fagu. Oes gynnoch chi gyfeiriad o gwbwl?'

'3 St Agnes Road, Kirkdale.'

'A derbyn bod y teulu'n byw yno yn 1891, yna mi fedrwch chi gael y wybodaeth yna'n weddol hawdd.'

Ymhen hir a hwyr, sodrodd fi mewn congol, o flaen peiriant meicroffilm. 'Kirkdale 1891!' meddai, a chyflwyno rholyn o feicroffilm labeledig o dan fy nhrwyn.

Medrais feistroli'r peiriant yn weddol hawdd, ond nid y llawysgrifen ar y sgrîn. Pwy bynnag a fu'n cofrestru ardal Kirkdale yn y cyfrifiad arbennig hwnnw, fe lwyddodd trwy ei flerwch i roi cur pen imi'n fuan iawn. Un o'i gastia oedd llunio pob *s* ac *f* rywbeth yn debyg, a bûm gryn amser hefyd cyn medru gwahaniaethu rhwng ei *y* a'i *g*. Sut bynnag, wedi llawer o graffu, o lanhau fy sbectol droeon ac o rwbio llygada, fe ges y wefr, ymhen hir a hwyr, o ddarganfod yr hyn roeddwn i'n chwilio amdano –

Address	Name	Age	Relation to Head of Family	Occupation	Where Born
3 St Agnes Rd	Mathew Cairns	27	Head	Grocer	L'pool
	Victoria	27	Spouse	Grocer's wife	Yorkshire
	Ruth	5	Dau.	Scholar	L'pool
	Esther	3	Dau.		L'pool
	Andrew	1	Son		L'pool

Gweld enw'r plentyn, Andrew, 1 oed, a greodd fwya o gynnwrf imi dwi'n credu. Y plentyn a fyddai'n marw yn Columbus Junction, Ohio, hannar cant a phump o flynyddoedd yn ddiweddarach, gan adael rheswm – beth bynnag oedd hwnnw – i'w dwrneiod geisio cysylltu â'r teulu a adawyd ar ôl ganddo yn Lerpwl yn 1914. A pham bod y rheswm hwnnw wedi aros ynghudd yr holl flynyddoedd? Os oedd Andrew Cairns wedi marw er 1946, lle gythral oedd *Cartland & Cartland, Attorneys at Law*, wedi bod tan rŵan?

Roedd yr un mor rhyfadd hefyd dod wynab yn wynab â'm hen daid a nain a nhwtha'n ddim ond cwpwl ifanc o hyd. Saith ar hugain oed! A Joseph, fy nhaid, heb ei eni hyd yn oed! Siopwr oedd yr hen Fathew, felly! Hynny'n golygu bod ganddo geiniog neu ddwy wrth gefn, os oedd coel i'r hen air am 'Lathan o gowntar . . . '

'Oes yna ffordd o gael rhagor o wybodaeth?' Dwi'n ôl wrth y ddesg yn holi'r un cynorthwy-ydd.

Mae hi'n craffu eiliad ar y papur yn fy llaw cyn sodro'i bys ar enw Joseph Cairns. 'Hwn ydi'ch taid?' ac yna'n mynd ymlaen fel pe bai hi'n gwybod yr atab i'w chwestiwn ei hun, 'Os mai yn 1892 y cafodd ei eni, mi fedrwch chwilio cofrestri genedigaetha, priodasa a marwolaetha. Mae'r rheini'n llawn gynnon ni o 1836 tan 1996. Neu, wrth gwrs, . . . ' Dwi'n gwylio'i bys yn dringo cenhedlaeth. ' . . . mi fedrech chi chwilio lle'r oedd eich hen daid yn 1881 ac 1871. Os mai yn Kirkdale oedd hwnnw'n byw cyn iddo fo briodi, yna mi fedrwch chi fod yn lwcus. Fel arall, does wybod lle i ddechra chwilio.'

* * *

Fe ges ginio a pheint o gwrw yn y Legs o' Man, tafarn rhyw ddau ganllath y tu ucha i'r llyfrgell, a threulio dwyawr arall wedyn yn craffu'n ofer trwy ddau feicroffilm (1881 a 1871) ac yn codi cur pen arnaf fy hun mewn llyfra cofrestru genedigaetha, priodasa a marwolaetha chwartar ola'r ganrif ddiwetha.

O dri o'r gloch ymlaen roedd fy llygaid ar y cloc yn amlach na pheidio. Amseru oedd yn bwysig. Bod yng Nghaer, tu allan i swyddfa Lorne & Greene, pan fyddai Kate yn cychwyn adra o'i gwaith. Deng munud wedi tri oedd hi rŵan! Tybiwn fod gen i ryw hannar awr go dda wrth gefn, cyn gorfod cychwyn yn ôl. Felly, o ran 'myrraeth, dyma neud cais am gofrestri 1912, 1913 a 1914 er mwyn cael chwilio am gofnod priodas Taid Joseph a Nain . . . Be ddeudodd Victoria Ruth oedd ei henw? . . . Gladys? Ia, Nain Gladys! Os ganwyd 'nhad ym mis Ebrill 1915 yna fe ddylwn fod ar y trywydd iawn . . . a derbyn, wrth gwrs, mai yn Lerpwl y priodwyd y ddau.

Ofer fu'r chwilio, fodd bynnag ond mi oedd cofrestr 1914 yn goferu i ddechra 1915 ac yn fan'no, o dan Chwefror 21, fe dybiais am eiliad fy mod i wedi cael llwyddiant pan ddois ar draws cofnod o briodas rhywun ag enw a chyfeiriad tebyg i *Joseph Cairns (neu Coins?), 128 Stanley (neu Stonely?) Road, Kirkdale, Bachelor*, efo rhywun oedd â'i henw'n debycach i *Queen rhywbeth-neu'i-gilydd o 17 Park Road East, Birkenhead.*

51

Queen Murelard oedd o tybad? Cododd amball un ei ben wrth fy nghlywad i'n chwerthin yn sych. Doedd bosib 'mod i'n hanu o deulu brenhinol? A deud y gwir, doedd dim posib bod yn siŵr o ddim, oherwydd llawysgrifen traed brain y cofrestrydd a'r ffaith bod honno wedi dechra pylu'n aneglur. Sut bynnag, os nad *Queen* oedd yr enw, doedd o ddim yn Gladys chwaith, felly nid dyma fy nhrywydd. Be am gofnod genedigaeth fy nhad 'ta?

Gwnes gais am gofrestr gweddill 1915 a sylwi bod hon yn ymestyn dros bron i flwyddyn a deng mis, hyd at ddechra 1917.

A bod yn onast, roedd fy niddordab wedi bod yn gwanio ers meitin yng ngwres y stafall ac yng nghuro cyson y morthwyl yn fy mhen. Oherwydd hynny, wnes i ddim mwy na byseddu'n gyflym yn ôl trwy'r gyfrol drwchus yma. Dyna sut y bydda i'n darllen fy mhapur newydd, gyda llaw! Cychwyn efo pêl-droed ar y dudalen gefn a gweithio'n ôl drwy'r chwaraeon eraill nes cyrraedd y tudalenna busnes a newyddion y farchnad stòc. Yn amlach na pheidio, fydda i ddim yn mynd ymhellach na hynny, heblaw i daflu golwg sydyn dros y dudalen flaen, falla, cyn rhoi'r papur o'r neilltu. Sut bynnag, rhyw droi dalenna'n ddi-sêl o'n i pan ddaliodd yr enwa fy llygad. Cofrestrydd gwahanol, llawysgrifen daclusach, a'r cofnod yn un clir – **When married** – *Fourteenth of February 1917*: **Name and Surname** – *Joseph Cairns*: **Age** – *25*: **Condition** – *Widower*: **Rank or Profession** – *Shopkeeper's assistant*: **Residence at the time of marriage** – *128 Stanley Road, Kirkdale, Liverpool*: **Father's name and surname** – *Mathew Cairns*: **Rank or profession of father** – *Grocer*. Ac oddi tano yr un math o fanylion am *Gladys Dale: 27: Spinster: Hotel Manageress: Dales Hotel, Whitby, Yorkshire; Clifford Dale: Hotels proprietor.* Hm! Hotels! Yn y lluosog! Felly doedd Nain Gladys, chwaith, trwy ei thad, ddim wedi bod yn brin o geiniog!

52

Teulu o siopwyr ar y naill law, perchenogion gwestyau ar y llall! A hynny mewn cyfnod o gryn fwrlwm ym myd busnas mae'n siŵr. Mi fyddai'n ddiddorol cael gafael ar ewyllysia'r teulu! Mwy diddorol fyddai cael eglurhad pam na chafodd Nhad geiniog ar ôl yr un ohonyn nhw. Doedd ryfadd yn y byd bod fy nghneithar Victoria Ruth yn medru'i lordio hi tua Southport 'na heddiw, a bod Paul Timothy ei brawd wedi byw mor fras ac mor ofer dros y blynyddoedd. I'w tad nhw, Simon, ac i Anti Ruth y gadawyd pob ceiniog, a dyna'r etifeddiaeth a ddaeth, ymhen amser, i ran Victoria Ruth a Paul hefyd. Ond pam na dderbyniodd Nhad, y mab hyna, geiniog o gwbwl, Duw a ŵyr. Ac ynta yn y cyflwr roedd o ynddo yn dilyn y rhyfal, fo oedd fwya o angan yr arian yn reit siŵr. Ac er na chafodd oroesi'i dad ond o brin flwyddyn, mi fyddai'r etifeddiaeth wedi bod yn fendithiol iawn i Mam wedyn. Ond dyna fo! Rhyw griw peth'ma ydi teulu Nhad wedi bod erioed. Twll eu tina nhw ddeuda i!

Ro'n i wedi cau'r llyfr ac *ar* fynd â fo'n ôl at y ddesg pan drawyd fi gan yr anghysondeb. Taid a Nain yn priodi yn Chwefror 1917, Nhad wedi'i eni ddwy flynedd cyn hynny, yn 1915! Rywbryd yn Ebrill os cofiwn i'n iawn. Taid yn ŵr gweddw pan briododd efo Nain Gladys! Yncl Simon wedyn, tad Victoria Ruth a Paul Timothy, wedi'i eni yn 1919. Fe redodd cynnwrf trwy 'ngwythienna wrth imi synhwyro fod yma ddirgelwch yn crefu am gael ei ddatrys.

Roedd tipyn mwy nag a ddisgwyliwn o gofnodion genedigaetha yn Kirkdale yn Ebrill 1915 ond fe ddois ar ei draws o'r diwadd:

Rhif	Pryd a lle y ganwyd	Enw, os oes un	Rhyw	Enw a chyfenw'r tad	Enw, cyfenw a chyfenw morwynol y fam
170	6ed Ebrill 1915, 128 Stanley Rd	Maredydd Cairns	Bachgen	Joseph Cairns	Gwen Cairns, gynt Maredydd

Ha! Doedd Nain Gladys ddim yn nain imi felly! Fawr ryfadd bod rhaid i Victoria Ruth f'atgoffa o'i henw. Eglurhad hefyd ar fy enw i ac ar sillafiad od enw Nhad. Darllenais ymlaen:

Gwaith y tad	Llofnod, disgrifiad a chyfeiriad yr hysbysydd	Pryd y cofrestrwyd	Llofnod y cofrestrydd
Gwas siopwr	Joseph Cairns / Tad / 128 Stanley Rd	20fed Ebrill 1915	*P. T. Cranshaw*

Taid Joseph yn un ar hugain ar y pryd ac yn gweithio yn siop ei dad, mae'n debyg. Siop fwyd yr hen daid Mathew.

Yn y car ar fy ffordd yn ôl i Gaer y cofiais am y cofnod priodas arall hwnnw, yr un y cawn draffarth ei ddarllan oherwydd blerwch llawysgrifen y cofrestrydd. *Queen Murelard!* Chwerthais yn hir. 'Gwen Maredydd' oedd o, siŵr dduw! Os am fynd ar drywydd y gangan honno o'r teulu – teulu Nain Gwen! – yna yn fan'no y byddai raid dechra.

* * *

Deng munud i bump y cyrhaeddais swyddfeydd Lorne & Greene ar Kingsway yng Nghaer. Er bod pob ffenast yn oleuedig fe wyddwn fod y rhan fwya o'r gweithwyr wedi cychwyn am adra yn fuan wedi hannar awr wedi pedwar. Ond be am Kate? Oedd hi'n dal yno, yn smalio gweithio wrth wneud llygada bach ar ei bòs a dangos mwy o goes nag oedd raid? Ynte oedd hi wedi mynd efo fo yn ei gar? I ryw motel neu'i gilydd, mae'n siŵr! Hwran!

Oedais yn hirach nag arfar, nes gweld dau – dau ddyn – yn fy llygadu'n amheus trwy un o ffenestri'r adeilad.

* * *

17 Park Road East . . . 17 Park Road East . . . 17 Park Road East . . . Dyna gân y weipars wrth i'r Merc lyncu milltiroedd gwlyb yr M53. O'm blaen, doedd dim i'w weld ond llygada coch car ar ôl car a lorri ar ôl lorri yn diflannu i gaddug diflas Penrhyn Cilgwri, gan fy ngadael mewn cwmwl o ddŵr a mwg dîsl drewllyd. BEBINGTON meddai'r arwydd. Junction 4. Pum munud go dda arall, meddyliais, cyn cyrraedd Junction 3.

Penderfyniad munud ola fu cymryd y drafford am ganol tre Penbedw yn hytrach na'r A41 am geg hen dwnnal Queensway. Pan oeddwn yn gadael y tŷ yng Nghaer, wyddwn i ddim yn iawn be oedd fy mwriad yn yr archifdy yn William Brown Street. O'n i ddim wedi disbyddu pob ffynhonnell yn fan'no? Rywle rhwng Ellesmere Port a'r Vauxhall Roundabout y cofiais unwaith eto am y cofnod blêr hwnnw – annarllenadwy bron – lle dois gynta ar draws enw Gwen Maredydd – Queen Murelard!! – Nain Gwen! Teimlad od, a deud y lleia, a finna dros fy nhrigain oed ac wedi ymddeol, oedd darganfod nain newydd sbon. A ffeindio nad oedd nain arall – nain oes – yn perthyn yr un dafn o waed imi. Fe allai gwybodaeth o'r fath roi sgytwad go fawr i amball un go sensitif, ond nid felly fi. Rhyddhad yn fwy na dim a deimlwn i. Wedi'r cyfan, onid hen gloman o ddynas oedd Nain Gladys wedi bod erioed? Fyddai Victoria Ruth a Paul Timothy ddim yn cytuno, wrth gwrs. Roedden nhw bob amsar yn cael croeso mawr ar ei haelwyd hi ac yn cael da-da a ffrwytha byth a hefyd o'r siop. Ac mi fydden nhw, fel teulu, yn cael basgedaid o nwydda bob Nadolig. Dwi'n dallt pam rŵan! Roedd hi'n nain go iawn iddyn nhw siŵr dduw! Tra oeddwn i a'm chwiorydd yn neb. Yn perthyn yr un dafn o waed! Mwy nag oedd Nhad! Rhyfadd na fasa hwnnw, pan oedd o'n fyw, wedi sôn wrtha i am y peth. Fe wydda fo, siŵr o fod, mai ail wraig i Taid Joseph oedd y Gladys 'na. Fe wydda fo, siŵr o fod, nad hi oedd ei fam iawn o. Felly, pam na fasa fo wedi egluro? Mi fasa wedi arbad llawar iawn o ddryswch ac o boen i ni, yn blant. A pham gythral na fasa Mam wedi deud? Siawns ei bod hi'n sylweddoli y byddwn i'n siŵr o ddod i wybod ryw ddiwrnod, yn enwedig a finna rŵan wedi dechra olrhain acha'r teulu.

Ac os mai hen sguthan oedd Nain Gladys, sut oedd egluro'i gŵr hi? Wedi'r cyfan, roedd y cythral hwnnw'n daid go iawn inni, ac yn dad go iawn i Nhad. Sut, felly, oedd egluro'i agwedd o aton ni fel teulu? Sut medra fo droi'i gefn mor llwyr arnon ni, yn enwedig â Nhad mor fethedig? Sut fedra'r bastad, yng nghanol ei gyfoeth, ein hanwybyddu ni mor llwyr yn ein tlodi?

Mwya'n y byd y meddyliwn i am y peth, mwya'n y byd y cawn fy nghorddi. Doedd Taid Joseph, mwy nag Andrew ei frawd, ddim gwerth poeni yn eu cylch. Pwy gythral oedd isio arddel ac olrhain perthnasa tebyg iddyn nhw?

A dyna pam y gwibiais dros y Vauxhall Roundabout gan anwybyddu'r A41 a chadw at yr M53 i fynd â fi i ganol tref Penbedw, lle'r oedd Borough Road a'r llyfrgell efo'i hadran archifau.

* * *

Roedd y lle'n llawn ac yn fyglyd efo'r holl gotia gwlyb yn hongian yma ac acw neu wedi'u taenu dros gefna cadeiria. Doedd y lleithder yn gneud dim lles i'r llyfra, meddyliais.

Siom oedd sylwi bod pob peiriant meicroffilm – pedwar ohonyn nhw – ar ddefnydd.

'Mae'n ddrwg gen i, Mr . . . ' Roedd hi'n craffu dros y ddesg ar fy ngherdyn adnabod, sef cerdyn f'aelodaeth llyfrgell yng Nghaer. ' . . . Cairns? . . . ond mae gen i ofn bod angan trefnu'n ddigon buan ymlaen llaw os ydach chi isio defnyddio peiriant meicroffilm. Eich unig obaith chi ydi i un o'r pedwar sy'n eu defnyddio nhw ar hyn o bryd orffan yn weddol fuan. Fe rof eich enw fel y nesa ar y rhestr, os liciwch chi, ond rhaid imi'ch rhybuddio chi y gallan nhw fod wrthi drwy'r dydd. Mae peth felly'n digwydd weithia.'

Dim amdani felly ond lladd amsar, yn y gobaith. Fe arhoswn tan ginio ac wedyn, os nad oedd y rhagolygon yn dda am beiriant segur, fe awn draw i Hoylake i weld Mam ac i edliw iddi am gelu'r wybodaeth am Nain Gladys oddi wrtha i.

Y peth cynta i'w neud oedd cael lle wrth fwrdd a rhoi trefn o'r newydd ar y goeden achau. Fe ddois o hyd i le eitha hwylus ar ben un bwrdd hir, efo ffenast o wydyr lliw, uchel y tu ôl imi. 'Dechra o'r newydd,' meddwn i wrthyf fy hun. 'Dechra efo llechan lân.' Roeddwn i'n benderfynol o ddileu pawb ond y rheini na allwn i'n hawdd eu diarddel. A phlesar oedd cael tocio amball gangan ddiffrwyth fel Victoria Ruth a Paul Timothy. A doedd Karl a'i epil ddim i fod yno chwaith, beth bynnag am blant Kevin!

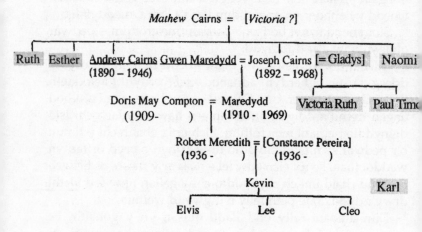

Tynnais linell o dan enwa Andrew Cairns a Gwen
Maredydd, am mai ynddyn nhw, a neb arall, yr oedd fy
niddordab i bellach, a hynny am resyma pur wahanol.
Chwilfrydedd, a dim arall, oedd tu ôl i'r diddordab yn
Andrew. Teimlwn reidrwydd, erbyn rŵan, i fynd i wraidd y
busnas 'na yn America. Ond nid yma, ym Mhenbedw, y
cawn i'r wybodaeth honno. Matar arall yn hollol oedd Gwen
Maredydd. Dyma'r nain a fu ynghudd dros yr holl
flynyddoedd; y nain a gafodd ei hanghofio – ei diarddel, hyd
yn oed! – gan deulu Nhad, er mawr gywilydd iddyn nhw.
Nid diddordab ond dyletswydd arna i bellach oedd olrhain
ei hanas hi. O leia fe wyddwn rŵan iddi fyw yma, ym
Mhenbedw, nid nepell o'r llyfrgell ar Borough Road.

'Mr Cairns! . . .'

Roedd fy ngên yng nghwpan fy nwylo, fy mhenelinoedd

58

ar y bwrdd o'm blaen, a'm meddwl i'n bell.

'Mr Cairns! '

Daeth y llais i chwalu'r darlun oedd gen i o Kate a finna'n gorwadd yng ngweiriach mynyddoedd y Berwyn yng Ngogledd Cymru; diflannodd y wên ddireidus a'r llais llawn chwerthin; pylodd yr atgof am y caru yn yr unigedda; ciliodd y gwynab hudolus, a llusgwyd finna'n ôl o graster poeth mynyddig i leithder chwyslyd y llyfrgell ar Borough Road. Rhaid 'mod i wedi rhythu'n flin ar y wraig a safai rhyngof a'r gola.

' . . . Mae'n ddrwg gen i'ch styrbio chi . . . ' O sylwi arna i'n cuchio, magodd ei llais hitha sŵn croes a dadleugar. ' . . . ond chi oedd isio peiriant meicroffilm, meddach chi, ac mae 'na un newydd fynd yn rhydd. Os nad ydach chi'i isio fo . . . ' Awgrym y frawddeg anorffen oedd 'Yna twll dy din di!'

Er nad oedd fawr o bwys gen i amdani, fe geisiais neud iawn am fy anghwrteisi anfwriadol. 'Diolch yn fawr. Rhaid ichi fadda imi; roedd fy meddwl i'n bell.'

'Hm! Be 'dach chi isio?' Gwelodd fy niffyg dealltwriaeth. 'Pa ffilm? Pa flwyddyn? Pa ardal?'

'O! Mae'n ddrwg gen i. Cyfrifiad 1891 os yn bosib, ond dydw i ddim yn siŵr pa un. Wyddoch chi ym mha ardal y mae Park Road East?'

Gadawodd fi heb gynnig atab ond fe ddaeth 'nôl ymhen rhyw dri munud efo'r ffilm mewn un llaw a ffurflen fechan yn y llall. 'Dyna chi! A llenwch hon inni gael record eich bod chi wedi bod yma. Fe gewch adael y ffilm a'r ffurflan wrth y ddesg ar eich ffordd allan.'

Claear oedd fy ngobeithion wrth imi ddechra sgrolio'n ara wrth graffu ar y sgrin o'm blaen. Falla mai 17 Park Road East oedd cyfeiriad Gwen Maredydd pan briododd hi efo Taid Joseph ar Chwefror 21, 1915, ond pwy fedrai ddeud lle'r oedd ei theulu hi'n byw bron i chwartar canrif ynghynt? Doedd hi ei hun ddim wedi'i geni, mwy na thebyg. Fy unig

59

obaith o lwyddiant, felly, oedd bod y cyfenw 'Maredydd' yn un anghyffredin ac y gallwn ddod ar ei draws trwy chwilota'n amyneddgar.

Digon aneglur oedd llawysgrifen y cofrestrydd hwn hefyd ond yn haws i'w ddarllan na honno yn Lerpwl ers talwm.

Aeth chwartar awr dda heibio, a minna wedi ymgolli yn yr ymchwil erbyn rŵan. Gwireddwyd fy ofna pan ddois, o'r diwadd, ar draws Park Road East, a rhif 17. Cwpwl mewn oed, Frederick a Mary Coppel, oedd yno'n byw; fo yn 79 a hitha'n 76.

Ond er y siom, deliais i sgrolio ymlaen yn y gobaith gwan . . .

'Dwi'n gwbod bod gen ti rai!' Neidiodd y rhan fwya ohonon ni wrth i'r llais bygythiol glecian yn erbyn muria marmor yr hen adeilad ac adleisio yn ei nenfwd cerfiedig. 'Paid â deud blydi clwydda wrtha i! Maen nhw gen ti o dan y cowntar!'

Bachgan ifanc oedd yno, fawr hŷn na deunaw, dybiwn i. Roedd ei wallt du yn gynffonna gwlyb dros ei dalcan a'i glustia a'i war, ac er na allwn weld ond ochor ei wynab, fe wyddwn fod ei lygada'n fflachio'n orffwyll wrth iddo blygu'n haerllug dros y ddesg ac i wynab y llyfrgellydd. Yn ei dychryn, baglodd honno at yn ôl, nes i'r wal ei harbed.

'Lle uffar maen nhw?' Ymbalfalai trwy ei bocedi a chyn hir daeth carn cyllall i'r golwg. Yna, wrth i'r llafn gloyw ymddangos gyda chlic bygythiol, clywais sawl un o'm cwmpas yn dal ar ei wynt a gwelais lygada'r llyfrgellydd yn troi'n soseri gwyn. 'Blydi cyffuria!' medda rhywun yn ddistaw wrth f'ymyl. 'Mae'r diawl bach yn hurt bost ar gyffuria.'

A dyna'r gwir, mae'n debyg. Ond er iddo fflachio'r gyllall yn ôl a blaen am eiliada lawar, gan droi'n wyllt bob hyn a hyn i fygwth y gweddill ohonon ni, rhedag allan wnaeth o yn y diwadd, fel pe bai wedi sylweddoli, yng nghanol ei orffwylledd, y gwahaniaeth rhwng llyfrgell a siop fferyllydd.

'Peidiwch â dychryn!' meddai llais dyn o rywle. 'Mae'r heddlu ar eu ffordd.'

'Hy! Wedi'r blydi digwydd!' meddai rhywun arall, i sŵn cytundeb a rhyddhad. A chyda hynny, cododd amryw i fynd o'no ond yn ofnus yr un pryd o'r hyn allai fod yn eu disgwyl tu allan.

Fe dorrodd y digwyddiad ar fy niflastod, os nad dim arall, a phan drois eto at y sgrin, prin y gallwn gredu fy llygaid. Yno, yn eglur ddigon, fel pe bai wedi ymddangos trwy wyrth yn fwy na chyd-ddigwyddiad –

Address	Name	Age	Relation to Head of Family	Occupation	Where Born
39 Craven St.	Dafydd Maredydd Ellen Gwen	27 26 1	Head Spouse Dau.	Dock worker Servant	Denbigh, N.W. Bala, N.Wales Bir'hd

Fy nheulu i! Hen Daid a Hen Nain na wyddwn i ddim oll am eu bodolaeth tan rŵan. A Nain Gwen yn un oed yn 1891, ac felly'n hŷn na Taid Joseph o flwyddyn neu ddwy. Gwnes gofnod cyffrous o'r manylion.

Treuliais deirawr arall yn pori mewn cofrestri genedigaetha a marwolaetha i ddarganfod a fu plant eraill o'r briodas ai peidio ac i weld be ddaeth o'r hen daid a nain. Hyd y gallwn gasglu, fe gollwyd dau blentyn yn eu babandod cynnar, Goronwy a gladdwyd yn dri mis oed yn 1892 a Mari yn fis oed yn 1893. Y sioc fwya, fodd bynnag, fu dod ar draws cofnod marwolaeth Dafydd Maredydd yn 1916, ac ynta ond yn bum deg a thair blwydd oed. Mewn cromfacha, ac fel rhyw atodiad ar ymyl y ddalen, y geiria 'By his own hand'. Geiria moel i gofnodi bod yr hen daid wedi ei ladd ei hun.

* * *

'Pam na faswn i'n deud wrtha ti? Be wyt ti'n feddwl *Pam na faswn i'n deud wrthat ti?*'

'Am Nain Gladys.'

'Nain Gladys? Be amdani? Ac ers pryd wyt ti wedi dechra cyfeirio at y bits honno fel *Nain Gladys*, yn enw'r Tad?'

Mae dryswch Mam yn swnio'n ddigon diffuant dros y ffôn.

'A pham na fasech chi neu Nhad wedi deud wrthon ni flynyddoedd yn ôl am y nain arall . . . y nain go iawn?'

Mae'r eiliada o dawelwch o ben arall y lein yn gneud imi feddwl mai ei heuogrwydd sy'n peri'r tawedogrwydd, ond yna, 'Deud i mi, Robert . . . Wyt ti wedi bod ar y botal heddiw, ta be? Am be gythral wyt ti'n sôn?'

Ydi hi'n trio taflu llwch i'm llygaid? 'Gwen Maredydd, Mam! Gwen M.A.R.E.D.Y.D.D!' Rwy'n gadael amser i'r sillafiad ganu cloch yn ei meddwl. 'Nain Gwen fasen ni wedi'i galw hi, mae'n debyg, pe baen ni wedi cael gwbod amdani pan oeddem yn blant.'

Eiliada eto o dawelwch, yna'r cwestiwn dryslyd. 'Wyt ti'n dechra ffwndro, dywad?'

Rhaid oedd imi dderbyn wedyn bod ei dryswch yn ddiffuant a bod angan egluro'r cyfan iddi. Ac ar y diwadd, er iddi dorri ar fy nhraws droeon efo rhyw ebychiada bach o syndod tra oeddwn yn datgelu'r manylion, dim ond mudandod llwyr.

'Wel?'

'Alla i ddim credu'r peth!'

'Be? Ddeudodd Nhad rioed wrthoch chi? Od iawn!'

'Na, doedd o ddim yn rhyfadd o gwbwl, oherwydd wyddai dy dad, chwaith, ddim byd am y peth.'

Methais fygu chwerthiniad gwamal. 'Ddim yn gwbod? O! Dowch o'na, Mam!'

'Mae'n ffaith iti.' Dwi'n synhwyro ei bod hi wedi dod dros y sioc ac wedi'i hadfeddiannu'i hun. 'Pe bai dy dad yn fyw heddiw, mi fyddai hyn yn fwy o sioc iddo fo nag i neb. Coelia di fi!'

'Be? 'Dach chi'n trio deud iddo fo fynd i'w fedd heb wbod pwy oedd ei fam iawn o?'

'Os ydi be wyt ti newydd ei ddeud wrtha i yn wir, yna do, mi aeth dy dad i'w fedd yn meddwl mai Gladys oedd ei fam iawn o. Ond rwyt ti rŵan wedi taflu goleuni ar lawar iawn o betha'n do?'

Cyfeirio mae hi, wrth gwrs, at y ffordd y cafodd Nhad ei drin gan ei rieni – neu gan ei fam faeth a'i dad, yn hytrach – a pham na adawyd ceiniog iddo yn yr ewyllys.

'Ond, a derbyn nad oedd hi'n nain go iawn inni, rhaid bod Taid Joseph ei hun yn rêl cachwr hefyd. Hyd yn oed os mai ganddi hi oedd y rhan fwya o'r pres, mi fedra fo fod wedi dangos dipyn mwy o asgwrn cefn ac o egwyddor . . . a gofal am ei deulu.'

Clywais hi'n gneud sŵn cytuno yn ei gwddw, ac yna'i geiria ola, 'Ond doedd o ddim yn ddibynnol ar ei phres hi, mi wyddost ti hynny. Roedd ganddo gelc go sylweddol yn ei enw'i hun hefyd.'

* * *

'Mr Cairns?'

'Ia.'

'Mr Robert Meredith Cairns?'

'Ia.'

'Ditectif Inspector Holloway! . . . '

Mae'r prawf adnabyddiaeth wedi'i ddangos a'i gadw cyn imi ddod dros y sioc.

' . . . A dyma Ditectif Sarjant Fields. Gawn ni ddod i mewn?'

Wrth symud o'r neilltu iddyn nhw gamu dros yr hiniog, mae fy meddylia'n gwibio trwy fy mhen: Ydw i wedi gneud rhywbeth o'i le efo'r car? Mynd trwy ola coch? Gyrru gormod a chael fy nal ar y camera cudd? Parcio ar lein felan ddwbwl? – Neu falla imi fod yn dyst i rywbeth go bwysig, nad oeddwn i'n sylweddoli ei ddifrifoldeb ar y pryd? Ond er crafu fy nghof, alla i ddim meddwl am unrhyw achlysur fyddai'n gwarantu'r ymweliad yma. Oni bai . . . ! Ia! Falla mai chwilio maen nhw am dystion i'r digwyddiad efo'r drygi yn llyfrgell Penbedw bron i bythefnos yn ôl.

'Steddwch!' Rydan ni wedi cyrraedd y stafall fyw, a dw inna'n arwyddo at y soffa ledar lydan. Dwi'n eu gweld yn syllu'n werthfawrogol o'u cwmpas.

'Stafall foethus iawn, Mr Cairns. Ydi Mrs Cairns i mewn?'

Am eiliad mae fy nghalon yn fy ngwddw. 'Nacdi. Pam 'dach chi'n gofyn? . . . Mae fy ngwraig wedi 'ngadael i ers bron i ddwy flynadd . . . Wedi mynd 'nôl i'r Stêts i fyw . . . at ei chwaer.'

'O! Mae'n ddrwg gen i. Byw eich hun ydach chi, felly?'

'Ia. Ar hyn o bryd o leia.'

'O! Unrhyw fwriad i ailbriodi?'

Dydi'i lygada fo'n gwyro dim wrth imi syllu i'w dyfnderoedd nhw. 'Dim o gwbwl. Rydan ni'n dal yn briod er ein bod ni wedi gwahanu. Be ydi pwrpas yr holi?'

'Mi fuoch chi ar un adag yn rheolwr Atlantic Lines yn Lerpwl.' Deud yn fwy na gofyn rŵan.

'Do-o?' Rydw inna'n rhoi sŵn cwestiwn yn ogystal â sŵn cytuno yn y gair. 'Ac yn Is-reolwr Cwmni Cunard cyn hynny.' Mae'n iawn iddyn nhw sylweddoli efo pwy maen nhw'n siarad. 'Ond mae hynny flynyddoedd yn ôl bellach, wrth gwrs.'

'Wrth gwrs. A be ddigwyddodd i Atlantic Lines?'

Mae dychryn bach arall yn cydio efo bysedd oer yn fy nghalon. Ar ôl yr holl amsar, does bosib bod y *Fraud Squad* yn edrych i mewn i fethiant Atlantic Lines? Mi fyddai hynny'n golygu archwiliad manwl iawn, a'r angan i holi amryw byd o bobol, gan gynnwys Constance.

'Mi aeth yr hwch drwy'r siop ar ôl i 'nhad-yng-nghyfraith farw. Fo sefydlodd y cwmni, wyddoch chi. Ond yn Boston y gwnaed y llanast a deud y gwir, nid yn y wlad yma. Pob math o bobol yn fan'no – cyfarwyddwyr ac aeloda staff – yn rhuthro i bluo'u nythod bach eu hunain. Pluo'r cwmni dwi'n feddwl, wrth gwrs. Mi aeth Atlantic Lines i'r wal yn fuan iawn wedyn. Roedd y drwg wedi'i neud cyn i ni, yr ochor yma i'r Iwerydd, sylweddoli be oedd yn mynd ymlaen. Nid bod dim y gallwn i na neb arall yma fod wedi'i neud beth bynnag . . . '

'Ac wedyn, Mr Cairns? Be wedyn?'

'Be 'dach chi'n feddwl?'

'Be fuoch chi'n neud wedyn?'

'Ylwch yma, Inspector! Ga i ofyn be 'di pwrpas yr holi 'ma?'

'*Mae* pwrpas, Mr Cairns. Medrwch gymryd fy ngair ar hynny. Rŵan, syr, be *fuoch* chi'n neud ar ôl i Atlantic Lines . . . ym . . . beidio â bod?'

'Pam ydw i'n cael y teimlad, Inspector, eich bod chi'n gwbod yr atab i'r cwestiwn yn barod?' Mae hannar gwên wawdlyd y sarjant yn dân ar fy nghroen braidd ac mae ei glap o drwyn coch yn denu fy llygaid er fy ngwaetha. 'Dwi'n siŵr eich bod chi'n gwbod mai at Maxim Electrics yng Nghaer 'ma y dois i wedyn. Fi oedd yn gyfrifol am Adran Farchnata'r cwmni – allforion yn fwy na dim – nes imi ymddeol chydig fisoedd yn ôl.'

'Ymddeol yn gynnar?'

'Ia. Pam 'dach chi'n gofyn?'

'Dyna oedd eich dewis chi?'

Ha! Dwi'n gweld y gola coch. 'Ia. Fy newis *i* oedd gadael.' Mae claearedd a hunan-sicrwydd y ddau yn fy nghorddi, ac ar yr un pryd yn gwrteithio fy mhryder.

'Roddwyd dim pwysa arnoch chi i ymddeol?'

Mae ei arferiad o chwara efo'i fwstás trwchus tra mae'n holi yn dechra mynd o dan fy nghroen. 'Ylwch yma! Mae'n berffaith amlwg eich bod chi'n gwastraffu f'amsar i a'ch amsar eich hun. Do, fe wnaeth rhyw hen hoedan fach gŵyn yn f'erbyn i. Cwyn gwbwl gwbwl ddi-sail a chelwyddog 'mod i'n aflonyddu arni. Ddaeth dim byd o'r peth, wrth gwrs, ond fedrwn i ddim aros efo'r cwmni ar ôl hynny, siŵr dduw! . . . Ddim â f'enw da i wedi cael ei bardduo.' Mae'r digofiant cyfiawn yn amlwg yng ngwrid fy ngwynab, siawns.

'Pwy oedd eich ysgrifenyddes ar y pryd, Mr Cairns?'

'Nid hi wnaeth y cyhuddiad celwyddog. Un o'r teipyddesa . . . '

'Ia, fe wyddon ni pwy oedd honno, syr. Ond eich ysgrifenyddes?'

'Miss . . . ' Dwi'n smalio dwyn i gof. ' . . . Forden dwi'n meddwl oedd ei henw hi.'

'A'i henw cynta?'

'Dydw i ddim yn cofio ar y funud.'

'O! Dowch o'na, Mr Cairns!'

'Ylwch! Mae misoedd lawar ers imi adael Maxim Electrics.'

'Ond chi a'i penododd hi i'w swydd. Ydi hynny ddim yn wir.'

'Wrth gwrs.'

'Ac mi fu hi'n gweithio ichi am . . . faint?'

'Dwn i ddim. Rhyw ddwy flynadd falla?'

'Deunaw mis, a bod yn fanwl gywir. Ond er ichi roi cyfweliad iddi am y swydd, ac er iddi weithio ichi wedyn am ddeunaw mis, fedrwch chi ddim hyd yn oed gofio'i henw cynta hi?' Mae'n defnyddio gwamalrwydd ei lais i awgrymu nad yw'n fy nghoelio.

'Pam ddylwn i, Inspector? "Miss Forden" oedd hi i mi bob amsar.'

'Nid dyna'i thystiolaeth hi, Mr Cairns. Na thystiolaeth y

bobol eraill oedd yn gweithio efo chi.'

Tystiolaeth? Mae'r gair yn peri pryder go iawn. 'Katherine! Ia, Katherine! Dyna oedd ei henw hi.'

'Ddaru hi roi lle ichi gredu, rywbryd, fod ganddi ddiddordeb ynoch chi? Diddordeb ynoch chi fel dyn dwi'n feddwl, nid diddordeb proffesiynol.'

'Weeeel . . . !' Mae'r awgrym yn llwythog, ac yn ddigon i'w fodloni gobeithio.

'Ym mha ffordd, Mr Cairns?'

'Dim byd penodol, Inspector. Jyst y ffordd roedd hi'n edrych arna i am wn i.'

'Ond dim byd mwy na hynny? Fuodd hi allan efo chi, er enghraifft?'

'I ginio, unwaith neu ddwy.'

Mae'r ddau'n edrych ar ei gilydd ond anodd dallt yr arwyddocâd.

'Yn ystod y dydd, yn rhinwedd ei swydd?'

'I-a . . . '

'Min nos hefyd?'

'Do.'

'Yn rhinwedd ei swydd eto?'

'Na, ddim yn hollol. Tipyn o'r ddau.'

'Fu perthynas rhyngoch chi o gwbwl?'

'Ylwch yma, Inspector! Os bu perthynas rhyngon ni, yna matar i Kate a finna oedd hynny. Wedi'r cyfan, roedden ni'n dau yn rhydd i neud fel y mynnen ni.'

'O! "Kate"! . . . Sut bynnag, oedd . . . ym . . . *Kate* yn dal yn ei swydd pan benderfynsoch chi ymddeol, syr?'

Mae'n amlwg fod y cythral yn trio 'nghornelu fi. 'Na, ddim yn hollol. Fe gafodd hi swydd arall ryw bythefnos cyn i mi orffan.'

'Efo cwmni Lorne and Greene ar Upper Northgate.'

Gan mai deud mae o, yna does dim rheidrwydd arnaf i atab.

' . . . Ydach chi wedi'i gweld hi o gwbwl yn ystod y misoedd diwetha 'ma?'

Ha! Mae pwrpas yr ymweliad yn dechra dod yn amlwg! 'Do. Dwi wedi cael cip ohoni hi o bryd i'w gilydd.'

'Ymhle?'

'Ymhle?' Dwi'n ceisio gneud i'w gwestiwn swnio'n un gwirion. 'Ar y stryd . . . mewn siop . . . yn ei char . . . Dydi Caer 'ma ddim yn lle mor fawr â hynny, Inspector.'

'A dyna'ch unig gysylltiad efo hi?'

'Wrth gwrs. Pa gysylltiad arall allai fod?'

'Ydach chi ddim wedi bod yn ei ffonio hi? Aros amdani tu allan i swyddfeydd Lorne and Greene? Aros amdani tu allan i'w chartra? Ei dilyn hi ar fin nos? Mewn gair, syr, stelcian arni.'

'Bobol bach, naddo! Pwy sy'n awgrymu'r fath beth?' Mae'n amsar sioe o ddicter go iawn. 'Ylwch yma, Inspector! Rydw i'n ddyn parchus yn y ddinas 'ma. Mae pobol yn edrych i fyny arna i. Dim ond rhyw fis yn ôl, er enghraifft, fe geisiwyd dwyn perswâd arna i i sefyll yn enw'r Torïaid yn yr etholiada lleol. A phe bawn i wedi cytuno, does dim amheuaeth na fyddwn i wedi cael fy ethol, ichi gael dallt. A oes raid imi ddeud wrthach chi 'mod i'n aelod blaenllaw o'r *Lodge* yn ogystal? Fel eich uwch-arolygydd chi, gyda llaw.'

Mae'n amlwg fod y cyfeiriad wedi cyffwrdd tant go dyner oherwydd mae ei ystum hunanfeddiannol yn diflannu mwya sydyn ac mae dau gylch o wrid yn ymddangos ar gerna'i fochau. 'Ylwch, Mr Cairns! Does ots yn y byd gen i i ba lòj yr ydach chi'n perthyn, nac efo pwy 'dach chi'n codi bys bach neu'n ysgwyd llaw yno. Yma i ddeud wrthach chi ydw i, ein bod ni wedi derbyn cwyn yn eich erbyn, cwyn o fod yn aflonyddu ar Miss Katherine Forden, a'ch bod chi'n rhoi lle iddi ofni'ch cymhellion.'

'Arglwydd mawr! Ofni 'nghymhellion? Be ddiawl mae hyn'na i fod i'w olygu?' Mwya sydyn, dwi'n gweld fy hun yn y llys, yn gorfod fy nghyfiawnhau fy hun o flaen fy ngwell. Fy *ngwell*! Hy! Dwi'n nabod hannar y penna bach sydd ar y fainc – un neu ddau ohonyn nhw'n selog yn y *lodge* – a chodwn i mo'm het i unrhyw un ohonyn nhw. 'Ylwch yma, Inspector! Mae hyn yn chwerthinllyd. Mi all gair y ferch yma – honiad cwbwl gelwyddog, ichi gael dallt! – neud mawr ddrwg i mi. Fel y gwyddoch chi'n iawn, dim ond taflu digon o fwd sydd raid mewn achosion fel hyn ac mae peth ohono fo'n siŵr dduw o sticio. Ac os eith Katherine Forden â fi i'r llys, wel, mae rhywun yn siŵr o goelio rhywfaint o'i chlwydda hi . . . '

Mae'r ddau yn codi efo'i gilydd, fel pe bai dealltwriaeth reddfol rhyngddyn nhw, ac yn cychwyn ysgwydd wrth ysgwydd am y drws sy'n arwain i'r cyntedd. Yn fan'no mae'r Inspector yn troi ac yn taflu edrychiad llym, ac mae min bygythiol ar ei lais hefyd. 'Rhybudd ydi hwn, Mr Cairns. Medrwch ddiolch nad ydi Miss Forden yn dymuno dod â chyhuddiad swyddogol yn eich erbyn. Nid ar hyn o bryd, beth bynnag . . . '

Dwi'n teimlo'r rhyddhad yn llacio rhywfaint ar fy mrest, ond mae'r gneuan galad yn dal yng ngheg fy stumog.

' . . . Ond os byddwch chi'n mynnu gneud niwsans ohonoch eich hun . . . yn parhau i'w phlagio hi . . . yna mi fedrwch chi ddisgwyl ymweliad arall oddi wrth y sarjant a finna. Ac os digwydd hynny, yna nid yn eich cartra yn fa'ma y byddwch chi'n cael eich croesholi.'

* * *

Mae'r Ddyfrdwy'n golchi'i glanna efo llif coch. Bu'n glawio digon yn fa'ma, Duw a ŵyr, ond rhaid ei bod hi ddengwaith gwaeth ym mynyddoedd Cymru. Os codith y dŵr droedfedd neu ddwy arall, mi fydd gwaelod yr ardd yn fan'cw, o gwmpas bôn y ffawydden goprog, o'r golwg yn llwyr! Ac mi ddaw â'r *Dee Gull* i dir efo fo! Troedfedd yn uwch wedyn ac mi fydd yn golchi pridd yr ardd gerrig i ffwrdd. Rhwng popeth, mae'n beryg na chysga i ddim heno!

Rydw i wirioneddol angan y brandi tra mae'r cyfrifiadur yn cnesu.

Hydref 1: *Alla i ddim credu bod Kate wedi dwyn y fath gyhuddiada yn f'erbyn. Ar ôl pob dim dwi wedi'i neud iddi hi! Ar ôl yr holl sydd wedi bod rhyngon ni! Yr unig eglurhad boddhaol ydi fod yr heddlu wedi gorymateb. Rhyw bwt o inspector yn taflu'i bwysa . . . pen bach hunanbwysig yn chwilio am ddyrchafiad swydd. Fyddai Kate byth bythoedd yn cymryd cam fel'na drosti'i hun. Alla i ond meddwl bod rhywun wedi dwyn perswâd arni i neud hynny. Rhywun yn Lorne & Greene, falla! Rhywun sy'n awyddus i 'nghael i allan o'r ffordd. Mae eiddigedd yn gallu bwyta amball un yn fyw. 'Jealousy . . . the injured lover's hell,' yn ôl diffiniad rhywun, rywdro. A be ddeudodd Iago wrth Othello?*

'O, beware, my lord, of jealousy!
It is the green-eyed monster which doth mock
The meat it feeds on.'

Oes, mae rhywun yn rhywle yn cael ei ysu gan genfigen, a hwnnw sydd wrth wraidd hyn i gyd. Doedd Kate ei hun ddim isio dwyn cyhuddiad yn f'erbyn i. Dyna ddeudodd yr inspector! Mae hynny'n profi llawar iawn!

'Robert, dwi wedi penderfynu mai chdi fydd fy Iago i.' William Epcot, fy mòs yn Cunard a thad Janette, yr hogan fach a achubais rhag syrthio ar ei phen i Prince's Dock ers talwm, oedd bia'r geiria. Un o geffyla blaen y *Bluecoat Chambers Amateur Dramatic Society*, a chynhyrchydd y perfformiad Shakespearaidd blynyddol. Un naw chwe . . . be, oedd hi? Chwe pedwar, mae'n siŵr. Rhyw wyth ar hugain oeddwn i ar y pryd, beth bynnag. 'Chdi fydd fy Iago i!'

Dwi'n cofio'r union eiria oherwydd 'mod i'n cofio'r dryswch ac yna'r dychryn ddaru nhw'i achosi imi ar y pryd. 'Mae dy olwg ddu di yn dy neud di'n berffaith i'r part.' Cyfeiriad oedd hwnnw at liw a thrwch fy ngwallt a'm haelia, ac at y düwch o gwmpas fy ngên. 'Diafolaidd! Fedra i ddim meddwl am Iago gwell!' Wyddwn i ddim yn iawn be i'w deimlo – arswyd ynte anrhydedd ynte sarhad. Arswyd o gael fy nhaflu'n ddibrofiad i ganol rhywbeth na wyddwn i ddim oll amdano. Arswyd o ymddangos ar lwyfan cyhoeddus. Arswyd o neud ffŵl ohonof fy hun ac o ddigio Epcot. Ynte anrhydedd? Anrhydedd o gael fy newis ar gyfar rhan mor fawr mewn cynhyrchiad mor bwysig. Anrhydedd am fod Epcot yn barod i ymddiried cymaint ynof . . . Ynte'r sarhad o gael fy nghymharu i'r diafol. Chydig wyddwn i ar y pryd bod y thesbiaid amaturaidd yn dragwyddol brin o actorion a bod fy mòs yn crafu gwaelod y gasgan trwy ddod ar fy ngofyn i. Sut bynnag, wnes i ddim rhyw lanast mawr o betha, hyd y cofia i. Doedd y perfformiad cynta ddim o safon Olivier falla, ond mi oedd yr ail noson siafin yn well. Eto i gyd, doedd fy 'ngolwg ddu' i ddim yn ddigon da i Hamlet y flwyddyn wedyn!

> Reputation, reputation, reputation!
> Oh, I have lost my reputation!
> I have lost the immortal part of myself, and what remains is bestial.

Iago druan!

Mae bygythiad yr Inspector Holloway 'na wedi 'ngadael i'n wag ac yn ddiffrwyth. Dim cyswllt mwyach efo Kate. Dyna ddeudodd o? Fedra i ddim derbyn hynny. Fedra i ddim derbyn nad ydi hi isio fy ngweld i o hyd, er ei bod hi'n fflyrtio efo dynion eraill. Gneud peth felly i ennyn fy nghenfigen i mae hi, siŵr dduw. Pa ffordd well o gadw fy niddordab?

Speak of me as I am . . .
. . . one that loved not wisely but too well.

Pe bawn i'n meddwl am eiliad ei bod hi'n canlyn rhywun arall, wel . . . !

I had rather be a toad,
And live upon the vapour of a dungeon,
Than keep a corner in the thing I love
For others' uses.

Wnes i rioed hiraethu am ddychwelyd i'r llwyfan ond mi deimlais droeon wedyn, wrth edrych yn ôl, y baswn i wedi gneud gwell Othello na Iago. Wedi'r cyfan, roedd hwnnw hefyd yn ddu, yn ei ffordd ei hun! A fo gafodd y cam! Fo gafodd ei dwyllo! Fo gafodd ei fradychu! A mae 'na lawar mwy o betha sy'n gyffredin inni'n dau.

* * *

Fe ddaeth llythyr arall o Ohio heddiw. Cartland & Cartland, *Attorneys at Law,* yn cydnabod derbyn fy llythyr efo'r copi o'm tystysgrif geni ac enw a chyfeiriad fy nghyfreithiwr yma yng Nghaer. Dim ond un aelod arall o'r teulu wedi cysylltu efo nhw, meddan nhw – Pwy, tybad? Veronica Ruth? . . . Paul Timothy? – ond fy nghysylltiad i ag Andrew Cairns yn fwy uniongyrchol. Nid Veronica Ruth na'i brawd, felly, oherwydd mae eu cysylltiad nhw lawn mor agos â f'un inna. Pwy 'ta? Mam? Synnwn i ddim!'

' . . . Bu Dorothy Graves farw'n ddibriod ac felly'n ddi-blant ac yn unol â gofynion ei hewyllys, byddwn yn awr yn anfon i R. Lloyd Fletcher a'i Fab, Cyfreithwyr, Weaver Street, Caer, yn eich enw chi, y cyfan sy'n weddill o'i hystâd. Dylem nodi nad oedd ganddi gyfoeth ariannol o fath yn y byd pan fu hi farw, gan iddi dreulio blynyddoedd ola'i hoes yn yr Allman Park

Retirement Centre for the Active Aged, yma yn Columbus Junction, Ohio. Fe werthwyd pob dim o werth oedd ganddi, ac eithrio'r tir a elwir The Old Corrals, er mwyn talu tuag at ei chadw yn fan'no . . . '

Blydi grêt! Dim ffadan na thŷ i'w henw! Fe wyddwn o'r cychwyn mai gwastraff amsar oedd y cyfan! Retirement Centre for the Active Aged! Hy! Nodweddiadol o'r blydi Iancs!

' . . . Gwireddu dymuniad ei thad a wnawn ni'n awr trwy drosglwyddo'i ddyddiaduron i chi, ei wŷr, yn ogystal â chopi o nofel anorffenedig yn llawysgrifen Andrew Graves [Cairns] ei hun . . . '

Wŷr? Uffar dân! Ar ôl hyn'na i gyd, ar ôl yr holl draffarth, roedd 'na ddiawl o gamgymeriad wedi cael ei neud. Be wnawn i efo'i ymdrechion llenyddol pitw fo? Llwyth, falla, o ddyddiaduron diwerth . . . a nofel ar ei hannar! Nofel! Be wnawn i efo peth felly ond ei thaflu hi'n syth i'r bin. Doedd bosib bod cyfrifoldab arna i i ffeindio pwy *ddylai* eu cael nhw, . . . pwy oedd yr etifedd go iawn . . .

'Mae'n ddrwg gen i, Mr C, ond *rhaid* imi gael agor y drysa 'ma neu mi fyddwch chi a finna wedi mygu . . . ' Mae hi wedi bod, tan rŵan, yn y gegin yn smwddio dillad gwely a thri neu bedwar o 'nghrysa fi ac mae gwres y gorchwyl hwnnw yn amlwg yn nwy loeren goch ei bocha. ' . . . Mae'n dda gweld bod lli'r afon wedi dechra mynd i lawr.'

'Ydi. Dyna'r peth cynta i minna sylwi arno fo bora 'ma, Mrs T.' Dydi hi fawr feddwl 'mod i wedi bod ar fy nhraed y rhan fwya o'r nos.

Dwi'n ymuno â hi yn y drysa agorad i studio'r olygfa hydrefol. Draw i'r chwith, yn agos at dro'r afon, mae pedair o goed castan mewn rhes, eu dail yn felyngoch ac eisoes yn dechra gollwng eu gafael i'r dŵr. Chydig i'r dde ohonon ni, eto ar y lan bella, mae'r dderwen y bu Kate a finna'n caru yn ei chysgod. Mae rhyw wawr frowngoch wedi dechra hel dros ei gwyrddni hitha hefyd ac mae'r ddôl, sy'n ymestyn i'r pellter tu hwnt iddi, yn felynach, yn dechra dangos arwyddion o'r llymder sydd ar ddod.

'Mi ddaw'r gaea arnom yn fuan, Mr C.'

'Mae o yma'n barod, Mrs T. Mae o yma'n barod.'

* * *

Roedd y bora wedi llusgo, a'r pnawn yn ymestyn fel dôl wastad lom o 'mlaen i. Wyddwn i ddim be i'w neud efo fi fy hun. Doedd gen i ddim gronyn o awydd mynd i'r un llyfrgell i graffu trwy hen ddogfenna a feiddiwn i ddim mynd yn agos at Upper Northgate i olwg swyddfeydd Lorne & Greene. Felly be?

Byseddu'r ffôn yn ei grud yr oeddwn i pan ddaeth y syniad i'm meddwl.

'*Enquiries. What name please?*'

Efo'r map o Ogledd Cymru yn agored o 'mlaen, 'Dwy lyfrgell yng Ngogledd Cymru, os gwelwch yn dda. Un yn Ninbych a'r llall yn y Bala.'

'*Hold on please!*' Yna'r llais dalecaidd, '*The numbers you require are . . .*'

Siom fu'r ymateb o'r ddau le. 'Rydych chi angen yr archifdy yn Rhuthun, mae gen i ofn. Dyma fo'r rhif ichi . . . '

'Yr archifdy yn Nolgelle 'dach chi isio, cariad. Sgynnoch chi bensel i godi'r nymbyr?' Dim amdani ond trio eto, a dechra efo'r olaf o'r ddau.

'Archifdy Dolgelle . . . *Meirionnydd Records Office* . . . Be ga i neud ichi?'

Uffar dân! '*Pardon?*'

'*How can I help you?*'

Diolch i Dduw! Mi feddyliais am eiliad 'mod i wedi ffonio

74

Timbuktu neu rywle felly. 'Pe bawn i isio gneud ymholiada am hen nain imi oedd yn hanu o'r Bala, yn lle faswn i'n dechra?'

'Mae'n dibynnu pa wybodaeth sydd gynnoch chi eisoes? Enw? Cyfeiriad? Dyddiade?'

'Enw, oes, ond dim byd arall. Yn 1891 roedd hi'n chwech ar hugain oed ac yn byw ym Mhenbedw. Morwyn oedd hi. Yn ôl Cyfrifiad y flwyddyn honno fe'i ganwyd hi yn y Bala. Ellen Maredith – M.A.R.E.D.Y.D.D. – oedd ei henw hi. Mae o'n enw digon anghyffredin, siŵr o fod. Falla'ch bod chi wedi dod ar ei draws o'n barod?'

Am yr eiliad, clywais sŵn chwerthin bychan yn ei llais, fel pe bawn i wedi awgrymu rhywbeth hollol hurt. Yna, 'Eich unig obaith chi fydd dod yma i chwilio eich hun ar y peiriant meicroffilm. Os oedd Ellen Maredydd yn byw yn y Bala yn 1871, yna ddylech chi ddim cael llawer o drafferth dod o hyd i'w hanes hi.'

'O! Da iawn! Y drwg ydi, 'dach chi'n gweld, dwi'n byw yn o bell. A dydw i ddim yn dallt Cymraeg o gwbwl. Ydi'r archifdy ddim yn ymgymryd â gwaith ymchwil fel'na?'

'Wel, mi fedrwn ni neud, ond mae 'na ffi ar ein hamser ni wrth reswm. Wythbunt yr awr fyddwn ni'n godi.'

'Duw, go dda! Mae hyn'na'n rhesymol iawn. Mi arbedith lot o drafffarth imi.'

Daeth sŵn sisial papur o ben arall y lein a gwyddwn fod pensal yno hefyd yn barod i godi manylion. 'Felly, Mr . . . ?'

'Cairns. Robert Cairns.'

'Felly, Mr Cairns, enw bedydd eich hen nain oedd Ellen Maredydd? Ac roedd hi'n hanu o rywle yn nhre'r Bala?'

'Dyna chi!' A dyna pryd y sylweddolais fy nghamgymeriad. 'Damia! Sori! Dwi newydd sylweddoli! Maredydd oedd ei snâm hi ar ôl iddi briodi. Does gen i ddim syniad be oedd o cynt.'

'O wel . . . !'

'Oes 'na ryw ffordd imi gael gwbod, deudwch?'

'Tystysgrif priodas ydi'ch gobaith gora chi. Oes gynnoch chi syniad ymhle y priodson nhw?'

'Ym Mhenbedw, dwi'n cymryd. Neu yn y Bala. Dafydd Maredydd o Ddinbych oedd enw'i gŵr hi beth bynnag . . . '

Er gadael fy rhif ffôn iddi, doeddwn i ddim yn obeithiol. Teimlwn fod gen i well gobaith o olrhain yr hen Daid Dafydd trwy archifdy Rhuthun.

Efo dyn y bûm i'n siarad yn fan'no ac fe addawodd hwnnw hefyd neud be fedra fo i'm helpu.

* * *

Hydref 2: Mi feddyliais am fynd allan i giosg heno, i ffonio Kate. Rydw i bron â drysu isio gwybod pam y gwnaeth hi'r gŵyn 'na i'r heddlu. Fedra i ddim derbyn fod petha wedi dirywio cymaint rhyngon ni. Cyfle i siarad efo hi dwi isio, dyna i gyd; naill ai dros y ffôn neu'n well fyth yn y cnawd. Munud neu ddau yn ei chwmni a dwi'n siŵr y bydd petha'n ôl ar eu hechel unwaith eto. Roedd gola yn ei fflat hi pan es heibio gynna. Gola gwan o lamp fach, a gola glas y teli yn wincio drwyddo fo. Be oedd hi'n wylio tybad? . . . Ac efo pwy? Rhannu'i soffa efo . . . efo beth bynnag ydi enw'r còc oen 'na sy'n fòs arni hi rŵan, mae'n siŵr. A'i facha budur drosti ym mhob man. Y bastad! Ddaru mi rioed, tan rŵan, feddwl am Kate fel hwran! Y cwbwl dwi isio ydi prawf fod y petha 'ma'n wir . . . !

Mae'r sgrifen ar y sgrîn yn troi'r cur yn drymdar yn fy mhen. Mae pawb yn cynllwynio yn f'erbyn i, er 'mod i wedi gneud fy ngora iddyn *nhw*. Kate ydi'r waetha! Ar ôl yr holl sydd wedi bod rhyngon ni, sut uffar all hi adael imi ddiodda fel hyn? Sut all hi smalio nad ydi hi rioed wedi bod mewn cariad efo fi? Be ddiawl mae hi'n drio'i brofi trwy

76

f'anwybyddu fi? A thrwy gwyno i'r heddlu? Damia unwaith! Dydw i'n gweld dim gola o fath yn y byd ym mhen draw'r twnnal.

'Cofiwch gymryd eich tabledi, Mr C!' Dwi fel 'tawn i'n clywad Mrs T yn fy nghlust.

* * *

'Helô! Robert? Lloyd Fletcher sy 'ma. Fedri di alw heibio pan fydd hi'n gyfleus?'

Dwi'n nabod Mervyn Lloyd Fletcher ers blynyddoedd. Fo ydi'r 'a'i Fab' yn enw'r busnas, a fo ydi'r *senior partner* erbyn rŵan. Ers i'w dad, yr hen Lloyd Fletcher, gau'i lygad mae'r busnas wedi tyfu'n arw ac erbyn heddiw mae 'na dri o bartneriaid eraill yn rhan o'r ffyrm.

'Iawn. Fe alwa i rywbryd cyn cinio.' Roedd fy niffyg brwdfrydedd yn siŵr o fod yn gwbwl amlwg yn nhôn fy llais.

'Sut mae chwartar wedi un ar ddeg yn taro? Dwi'n rhydd bryd hynny, os wyt ti isio trafod o gwbwl. Os na, wel mi elli alw pryd lici di i'w nôl nhw.'

Dwi'n cymryd yn ganiataol mai'r *'nhw'* ydi'r etifeddiaeth! Campweithia llenyddol yr hen ddewyrth o Ohio! Y briwsion a adawyd ar ôl gan yr Hen Anti blydi Dorothy!

'A deud y gwir, faswn i ddim yn meindio sgwrs, Mervyn. Mae 'na ryw gamddealltwriaeth wedi bod yn reit siŵr. A deud y gwir wrthat ti, dydw i ddim yn meddwl mai i mi y gadawyd y stwff. Dydw i ddim yn ŵyr i'r Andrew Graves 'ma, neu beth bynnag oedd o'n ei alw'i hun. Hyd y galla i weld, brawd i daid imi oedd o . . . '

'Wel, dy enw di sydd ar betha, Robert, a dwi'n rhwym o'u trosglwyddo nhw i d'ofal di. Gyda llaw, fe gofi di fod 'na rywfaint o dir sy'n cael ei alw'n *Old Corrals* yn rhan o'r etifeddiaeth. Tua deg acar ar hugain mae'n debyg, wrth ymyl y steshon, lle byddai ffermwyr – y *ranchers* – yn arfar cadw gwarthag a cheffyla mewn corlanna dros nos yn barod i'w llwytho ar y trên drannoeth. Mae'n debyg fod dy daid, Andrew Graves, Andrew Cairns . . . '

'*Doedd* o ddim yn daid imi, Mervyn. Dwi'n deud wrtha ti, mae 'na gamgymeriad wedi'i neud. *Brawd* i 'nhaid oedd o.'

'Sut bynnag, mae'n debyg fod dy hen ddewyrth wedi prynu'r tir yma yn fuan wedi iddo fo symud i Columbus Junction, a thra oedd o'n gweithio am gyfnod fel gorsaf feistr yno. Ond mae 'na amoda go gaeth ynglŷn â'i hawlio fo.'

'Oes mae'n siŵr!' Does bosib nad ydi o'n clywad y syrffad yn fy llais.

Er nad oes gen i syniad yn y byd faint ydi deg acar ar hugain o dir, eto i gyd dwi'n gallu dychmygu'r *Old Corrals* yn iawn. Dwi wedi gweld digon o betha tebyg mewn ffilmia cowbois yn y *Paramount* a'r *Rotunda* ers talwm. Lleinia llychlyd o dir, fawr gwell nag anialwch, efo ffensys blêr o bolion pren o'u cwmpas, a'r rheini mewn cyflwr gwael. 'Be ydi'r amoda 'ma ynglŷn â'r tir?'

'Fe gei weld y llythyr pan fyddi di'n galw i nôl y dyddiaduron . . . ' Ond mynd yn ei flaen i egluro y mae o, serch hynny. 'Roedd Dorothy, merch dy . . . dy hen ddewyrth, wedi gadael i'r lle dyfu'n wyllt ers blynyddoedd, a felly mae o hyd heddiw, mae'n debyg. Yn ôl yr ewyllys, dim ond rhywun sy'n cario'r enw Cairns geith etifeddu'r tir ond cyn medru ei werthu mae'n rhaid cyflawni tri amod. Yn gynta, rhaid clirio enw Andrew Cairns cyn y gelli di hawlio'r tir. Dwn i ddim be mae hynny'n ei olygu, Robert, ond hyd y medra i ddallt, mae'r dystiolaeth i gyd i'w chael yn y dyddiaduron a'r stwff 'ma mae o wedi'i sgwennu. Yr ail amod ydi bod yn rhaid iti fynd draw i Columbus Junction dy hun efo tystiolaeth bendant fod yr amod cynta wedi cael ei gyflawni. Ac yn drydydd, mae disgwyl iti ymweld â'r fynwent yno a gosod torch o floda ar fedd Dorothy Graves a'i thad.'

'Dydi o ddim yn gofyn llawar yn nac'di!'

Mae Mervyn yn synhwyro'r coegni yn fy llais. 'Sut bynnag, os nad wyt ti'n hapus ynglŷn â phetha, ac os wyt ti isio imi gysylltu eto efo Cartland & Cartland yn Ohio, wel dwi'n ddigon bodlon gneud hynny wrth gwrs . . . '

Ha! A chodi uffar o ffi am dy draffarth, mae'n siŵr! Ond ddeudis i mo hynny. 'Diolch iti, Mervyn, ond gad i betha fod ar hyn o bryd. Mi wela i di'n nes ymlaen.'

Ond welis i mo'no fo! 'Mae'n ddrwg gen i, Mr Cairns, ond mae Mr Lloyd Fletcher wedi cael ei alw allan o'r swyddfa ar fyr rybudd. Mae o'n ymddiheuro'n ofnadwy a mae o wedi gofyn imi roi hwn ichi. . . . Os byddwch chi cystal ag arwyddo amdano fo . . . '

Amlen fawr drwchus oedd yr 'hwn'. Wrth arwyddo amdani fe ges y teimlad nad wedi cael ei alw allan oedd Mervyn o gwbwl ond mai wedi ailfeddwl yr oedd o. Mwy na thebyg ei fod yn llechu oddi wrtha i yn ei stafell. Pam y gwnâi o hynny? Wel, rhag i mi ailfeddwl ynglŷn â chymryd meddiant o'r amlen, mae'n siŵr. A rhag iddo ynta wedyn orfod ymchwilio i bwy oedd gwir ŵyr Andrew Cairns/ Graves. Roedd y diawl yn ddigon call i sylweddoli na châi ei dalu gan neb am y traffarth hwnnw.

Gwthiais yr amlen o dan fy nghôt a chamu allan i'r glaw. Fe wyddwn am dafarn hwylus ar gongol St Martin's Way ac Upper Northgate lle y cawn damaid o ginio. Cyd-ddigwyddiad hollol oedd bod swyddfeydd Lorne & Greene yn digwydd bod o fewn golwg iddi.

Er gwaetha'r tywydd, penderfynais fynd yno ar droed, gan adael y Mercedes yn y maes parcio bychan gyferbyn â swyddfa'r twrna. Gorweddai'r awyr yn blwm dros y ddinas, ei llwydni'n distyllu niwl a glaw mân diddiwadd. Roedd teiars pob car a lorri yn sisial yn hyglyw a'u mygdarth yn hofran yn gaeth ac yn ddrewllyd o fewn y diflastod gwlyb. Heidio am gysgod siop neu brysuro'n fân ac yn fuan o dan ambarél yr oedd pawb a welwn, gan neud imi deimlo'n fwy o adyn nag erioed.

Wrth droi o White Friars i Bridge Street, oedais i godi colar fy nghôt ac yn yr eiliad honno dois wynab yn wynab ag adlewyrchiad clir ohonof fy hun yn ffenast y siop betio. Gwynab . . . Be 'di'r ansoddair? . . . curiedig. Ia, curiedig . . . a llac a thagellog. A'r llygaid yn flinedig lonydd mewn cleisia duon. Brith iawn ydi'r gwallt, a'r gwlybaniaeth yn treiddio trwy'i deneuwch ac yn oeri croen fy mhen. Mor fuan, ar ôl y trigain oed, y mae dyn yn dod i'w ffieiddio'i hun! Doedd fawr ryfadd bod Kate . . . Ond dyna fo, arni hi a neb arall yr oedd y bai am fy nghyflwr!

Gwibiodd lorri trwy bwll wrth gwtar lawn tu ôl imi a rhegais wrth deimlo'r dŵr yn tasgu'n anghynnas dros odreon fy nhrowsus a gwaelod fy nghefn.

Roedd Bridge Street, o dan ganopi hynafol ei llawr cynta, yn llawn siopwyr. Trwy ddrws agored Owen Owens' ar y chwith daeth sŵn clycha ysgafn i'm clust, eu cân bell fel pe bai'n gyndyn i adael y clydwch a'r miri oedd tu mewn. Petha'r Nadolig eisoes ar werth, meddyliais. Ddechra mis Hydref!

A finna'n croesi am Eastgate, gallwn deimlo bodia fy nhraed yn dechra oeri wrth i'm gwadna tena sugno gwlybaniaeth y ffordd. Ar y fath dywydd, dim ond *edrych* yn dda a wna sgidia *patent*, drud.

Edrychais ar fy wats wrth gerdded trwy ddrws Tafarn y New Roodee. Ugain munud i hannar dydd. Rhy gynnar am ginio. Rhy gynnar i staff Lorne & Greene hefyd. Ordrais *gin an' tonic* a dewis y gongol fwya cyfforddus yn ymyl ffenast, efo'm cefn at y drws. 'I'r dim y cyrhaeddis i!' meddyliais, wrth weld bod petha'n dechra prysuro wrth y bar a bod y byrdda'n llenwi o un i un.

Roedd pum dyddiadur i gyd yn y pecyn, yn ogystal â phentwr eitha trwchus o daflenni wedi'u tyllu'n bwrpasol a'u clymu ynghyd efo rhwymyn o linyn gwyrdd. Roedd y papur wedi hen felynu a'r corneli i gyd wedi cyrlio bob sut. Mewn inc y sgrifennwyd o – hwnnw ddim rŵan mor ddu ag yr arferai fod – ac mewn llawysgrifen fân, ddestlus a wnâi ddefnydd o bob modfadd o bob llinall o bob tudalan.

'A dyma'r nofel fawr!' meddwn i dan fy ngwynt, gan beri i gwpwl tawedog oedd o fewn clyw godi pen gan dybio 'mod i'n sibrwd wrthyn nhw. 'A Mystery Solved' meddai teitl y dudalen ucha. 'Blydi grêt!' meddwn inna'n wamal. 'Jyst be dwi isio! Nofel ddirgelwch heb ddiwadd iddi! Nofel â'i dirgelwch yn aros, er gwaetha honiad ei theitl.' Gwthiais hi'n ddiamynadd yn ôl i'w hamlen, ei thaflu ar y sedd wrth f'ochor a throi at y dyddiaduron. 1914 tan 1918. Rhaid bod yr hen foi wedi chwythu'i blwc wedyn.

Wrth imi agor y cynta ohonyn nhw, syrthiodd amlen allan ohono. Ynddi roedd wyth tudalan o lythyr mewn llawysgrifen grynedig. Gorffennaf 3ydd 1999 oedd y dyddiad arno a Dorothy Graves oedd wedi'i arwyddo. Dear Cousin, . . . meddai'r cyfarchiad. Hy! 'Cousin' oedd pawb ganddyn nhw ym Mericia, waeth be fyddai'r berthynas!

Ymgais hen ferch ffwndrus oedd y llythyr i drosglwyddo petha'i thad i unrhyw un o'r teulu a fyddai'n debygol o dalu sylw iddyn nhw ac o'u gwerthfawrogi. Pan oedd hi'n llunio'r llith, roedd hi ar fin mynd am driniaeth lawfeddygol, meddai hi, ac yn ofni na châi ddod o'r ysbyty yn fyw. (A dyna ddigwyddodd, yn amlwg!) Fe geisiai roi darlun o'i thad fel y cofiai hi ef. Gŵr wedi'i chwerwi gan greulondeb bywyd; wedi'i alltudio o wlad ei febyd; wedi'i ddiarddel gan ei deulu; wedi colli'i wraig yn ifanc, a'i unig ferch (Dorothy ei hun fasa honno!) yn ddibriod ac yn ddi-blant.

Daeth imi ddarlun dychmygol o'i angladd, a Dorothy yn unig ar lan y bedd, efo neb ond offeiriad ac ymgymerwr yn gwmni iddi. Yna, wrth imi ddarllan ymlaen, fe aeth y nifer yn narlun fy meddwl yn llai fyth o ddallt mai anghredadun oedd yr hen foi ac mai angladd moel pagan a gafodd. Rhyfadd o fyd! Ei fagu'n un o chwech (o leia!) o blant ond yn gorfod mynd i'w daith ola heb yn wybod i'r un o'r lleill. Tybad a oedd Taid Joseph neu un o'r chwiorydd wedi trio cysylltu efo fo o gwbwl? Tybad a geisiodd o ei hun holi hynt a helynt ei deulu? A be oedd Dorothy ei ferch yn ei olygu wrth ddeud bod ei thad wedi'i alltudio o'i wlad ac wedi'i ddiarddel gan ei deulu? 'Siawns na cha' i atab yn y dyddiaduron,' meddyliais. Roedd mwy o ddirgelwch yn y rheini nag yn y nofel, siŵr o fod.

Tachwedd 9fed, 1914, oedd y cofnod cynta un. Roedd o wedi dechra cadw dyddiadur ar ei ddiwrnod gadael Lerpwl, ac efo dim ond deufis o'r flwyddyn yn weddill! Roedd ei iaith a'i arddull yn ddigon carbwl a hen ffasiwn, a'i agwedd, drwyddi draw, yn ddi-hid, yn herfeiddiol bron, ond am amball frawddeg ddadlennol megis 'Fedrwn i ddim gwylio tyrau'r Liver yn diflannu dros y gorwel . . . ' neu 'Pan beidiodd goleudy Caergybi â fflachio yn y pellter o'm hôl, fe wyddwn na chawn ddychwelyd byth.' Teflais gip sydyn dros gofnodion y pythefnos nesa. Digon tebyg oedd cynnwys pob diwrnod. Undonedd y fordaith oedd eu byrdwn penna. Yna hanas y glanio yn Baltimore a'r chwilio am waith i'w gadw'i hun. 'Wna i ddim gwario'r arian Jiwdas tra medra i beidio.' Be oedd ystyr peth fel'na?

Erbyn diwadd Tachwedd roedd yr Andrew ifanc yn gweithio yn Delaware, mewn tre o'r enw Willmington, ac yn swnio'n fwy bodlon ei fyd. Ond yna, wele gofnod syfrdanol fel hwn – 'Rhagfyr 27ain: Beth bynnag a ddywed y *Post* a'r *Mercury*, nid ar fy nwylo i y mae ei gwaed hi. Nid fi a'i lladdodd hi, ac fe ŵyr y Casglwr Trethi hynny cystal â neb! Ond cytundeb yw cytundeb. Fe werthais fy enaid, a'm henw . . . ' Rhaid bod rhywbeth wedi digwydd yn ôl yn Lerpwl, meddyliais – rhyw ffrae, rhyw sgarmas – a bod rhyw ferch neu'i gilydd wedi cael ei lladd a rhywun neu'i gilydd yn ei gyhuddo fo ar gam. Duw a ŵyr be oedd gan gasglwr trethi i'w neud efo'r peth. ' . . . Ond dyna fo, fe gytunais, ac nid oes dim troi'n ôl. Eu syniad hwy – gwraig Elimelech a nith Mordecai – ond fy mhenderfyniad i . . . ' Elimelech . . . Mordecai? Uffar dân! Rwts noeth! Roedd yr hen ddewyrth naill ai wedi'i eni'n ddw-lal neu roedd o wedi dechra colli arni.

Heb fod yn bell oddi wrtha i ac yn fy ngwynebu, eisteddai dyn tua'r deugain oed, ei bapur tabloid wedi'i blygu ar y bwrdd o'i flaen. Am yn ail â drachtio'n hir o'i wydryn peint, gwyrai ymlaen yn fyfyrgar i farcio, efo'i bwt o feiro, enillydd tebygol pob ras ar y dudalan. Gorweddai ei wallt gola yn gynffon laes hyd at ei war a sylwais mai strimyn o glwt coch digon budur yr olwg a ddefnyddiwyd i'w glymu. Roedd wedi'i wisgo mewn crys tsèc coch a du dros jîns treuliedig, a chardigan drwchus lac yn hongian dros y cyfan. Rhyfeddais, a deud y gwir, fod gŵr y tŷ yn caniatáu peth mor flêr â fo i'w dafarn. Ac eto, roedd o'n ŵr golygus, yn ei ffordd ei hun, efo gên gadarn a thalcan hardd.

Dwn i ddim ai synhwyro fy meirniadaeth ohono a wnaeth ai peidio ond fe god*odd ei olygon mwya sydyn a dal fy llygaid efo'i rai treiddgar ei hun. Am eiliad, gwelais dân yn fflachio ynddyn nhw, yna, fel pe bai wedi ailfeddwl, gwenodd yn glên – neu'n bowld, pa'r un bynnag – a drachtio gweddill ei lâgyr cyn codi ei wydryn gwag mewn cyfarchiad mud a chychwyn yn hamddenol at y bar. Yn fan'no, tra oedd yn aros am ei ddiod, gwelais ef yn edrych ar ei wats ac yna'n estyn ffôn symudol o bocad ei gardigan. Lledorweddai mewn ystum dioglyd yn erbyn y bar wrth ddeialu, a sylwais ar ei wynab yn gloywi wrth iddo gael atab. Byr a phwrpasol fu ei sgwrs. Arhosais iddo ddychwelyd i'w sedd ac at ei geffyla cyn codi fy hun a mynd i ordro dysglaid o gawl poeth i'm cinio, yn ogystal â *gin an' tonic* arall.

Os rhywbeth, roedd y tywydd tu allan wedi gwaethygu, y glaw mân wedi rhoi lle i ddafna bras a ddawnsiai'n wyn ar wynab y ffordd, a'r gawod drom wedi tynnu'r cymyla isel i lawr efo hi nes eu bod rŵan yn hofran yn niwl llaith dros y stryd. Roedd gwynab gwyn pob gyrrwr car a lorri wedi'i wthio mlaen i'r gwydyr bron mewn ymgais i weld drwy'r cenlli oedd yn bygwth ei ddallu. Cydiodd eu diflastod amlwg ynof inna wrth imi sylweddoli na fyddai Kate, mwy nag unrhyw aelod arall o staff Lorne & Greene, yn mentro allan i'r fath dywydd. Roedd rhai ohonyn nhw, fel y gwyddwn i, yn dod â'u brechdana efo nhw bob dydd mewn bocsys bach plastig pwrpasol, ac eraill, a Kate yn eu mysg, yn hoffi cael dianc am awr i gaffi neu dafarn. Ond, o 'mhrofiad i beth bynnag, byth i'r dafarn yma, y New Roodee.

Rhyfadd mai dyna'r union beth oedd yn mynd trwy'm meddwl pan ddaeth symudiad annisgwyl yn nrws swyddfeydd Lorne & Greene. Er gwaetha'r gwlybaniaeth oedd fel llen rhyngon ni, mi wyddwn yn syth mai hi oedd hi. Yng nghysgod y drws gallwn ei gweld yn botymu'i chôt ddu yn uchel ac yna'n tynnu'r golar yn dynn am ei gwddw ac o dan ei gên. Du oedd ei hambarél hefyd. Gwyliais hi'n camu i'r stryd a fflach o goes wen yn ymddangos wrth i'r gôt wahanu mymryn efo pob cam. Hy! Sgert gwta eto heddiw! I blesio pwy, tybad? I gyfarfod pwy?

Rhaid 'mod i'n freuddwydiol wrth ei gwylio hi oherwydd ar y munud ola, a chyda chryn gyffro, y sylweddolais ei bod hi'n anelu'n syth amdana i. Â'i phen o'r golwg bron o dan ei hambarél, doedd bosib ei bod hi wedi fy ngweld i. Cydiodd panig ynof ac er fy ngwaetha dechreuais edrych o'm cwmpas am le i ddengyd. Ond roedd yn rhy hwyr imi neud hynny heb iddi sylwi, yn rhy hwyr hefyd i symud i gongol fwy cudd.

Yn fy nghyffro, clywais hi'n oedi yng nghyntedd cyfyng y dafarn i ysgwyd y glaw oddi ar ei hambarél, yna daeth chwa o oerni i'r stafell wrth i'r drws tu ôl imi gael ei agor ac yna'i gau. Diolchais am gefn uchel fy sedd. Hwnnw a dyddiadur yr hen ddewyrth oedd fy unig obaith a chleddais fy ngwynab yn y gyfrol gan roi'r argraff, ora allwn i, o fod wedi ymgolli yn y cynnwys.

'Pryd gyrhaeddist ti?'

Am eiliad fe dybiais mai fi oedd yn cael ei sylw a chodais fy mhen i smalio syndod a balchder o'i gweld. Ond roedd ei chefn tuag ata i! Ac yn sefyll yn dalog o'i blaen roedd boi blêr y jîns a'r gwallt cynffon ceffyl.

'Rhyw awr yn ôl.' Plygodd i ddisgwyl cusan, ac fe gafodd un. 'Mae'n dda dy weld.'

'A chditha!'

Fe safodd y ddau am rai eiliada yn gwynebu'i gilydd, ei wên ef yn awgrymu'r sicrwydd a'r hyder a welswn eisoes ynddo. Sylwais ei fod yn gadael ei ddwylo arni cyhyd ag y gallai. Allwn i ddim gweld be oedd hi'n ei neud, heblaw edrych yn ôl arno. A dyna pryd y sodrwyd dysglaid o gawl trwchus a thorth fechan boeth efo sgwaryn o fenyn o 'mlaen, ond roedd pob awch am fwyd wedi mynd.

'Be gymri di? *Port and lemon*?'

'Rwyt ti'n cofio, felly?'

A dyna'r cyfan imi ei glywad o'u sgwrs gan iddyn nhw ostwng eu lleisia ac i'r rheini ymdoddi i'r dwndwr siarad oedd yn llenwi'r lle. Gwyliais hi'n tynnu'i chôt ac yn ei thaflu dros gadair wag, yna'n cymryd cadair ei hun, gyferbyn â'i un o ac efo'i chefn tuag ata i. Aeth ynta at y bar i nôl diod iddi ac i archebu cinio i'r ddau.

Brysiais i fwyta'r cawl a sleifio allan i'r glaw. Yn fy anniddigrwydd, bu bron imi â thaflu amlen yr hen ddewyrth i'r bin sbwriel agosa.

* * *

Fedra i ddim credu bod Kate yn fodlon i'w darostwng ei hun fel'na. Ei diraddio'i hun efo anifail mor flêr. Mi feddyliais unwaith mai ei brawd hi oedd o. Ond nid cusan brawd a chwaer oedd hon'na rhyngddyn nhw. A fasa'r un brawd yn edrych ar ei chwaer yn y ffordd roedd o'n edrych arni hi. Fedra i ddim credu ei bod hi'n barod i rannu'i chorff efo rwbath mor fudur ac mor flêr â fo.

* * *

Hydref 3ydd: *Ffonio K. gynna, o giosg. Fo atebodd! Mi fydd yno dros nos felly! Dyna brofi 'mod i'n iawn ynglŷn â hi. Hen hwran wyt ti, Kate! A dydw i ddim yn meddwl y galla i fadda iti byth.*

Does gen i ddim gronyn o amynadd i ddarllan hen ddyddiaduron a hen helyntion teuluol heno.

* * *

Dwyawr o gwsg ges i ar y mwya. Wrth wrando ar y glaw yn cael ei hyrddio'n ysbeidiol yn erbyn ffenast fy llofft gallwn ddychmygu lli'r Ddyfrdwy, yng ngwaelod yr ardd, eto'n bygwth golchi'i glanna, ei dŵr erbyn hyn yn drwm o ddail gwyw. Trwy gil drws fy stafall, roedd yr un curo oer i'w glywed ar wydyr y landin, yn adleisio fel pe mewn tŷ gwag.

Ond nid y glaw a'm cadwai'n effro. Ac nid sŵn y storm oedd yn peri imi droi a throsi yng nghlydwch anghyfforddus fy ngwely. Yn hytrach, y darlun o Kate yn ymestyn hyd flaena'i thraed i roi cusan i'r anifail peth 'na yn nhafarn y New Roodee. Dyna'r olygfa oedd yn corddi fy meddylia. A mwya'n y byd y meddyliwn i am y peth, mwya'n y byd roeddwn i'n difaru 'mod i wedi sleifio allan heb iddi fy ngweld. Pe bawn i wedi dal fy nhir a gadael iddi wbod 'mod i'n dyst i'r cyfan, be fyddai hi wedi'i neud wedyn, dybad? Fyddai hi wedi gwrido mewn embaras a chywilydd? Fyddai hi wedi dangos unrhyw euogrwydd? Ar ôl yr oll a fu rhyngom, Kate, fyddet ti wedi teimlo unrhyw edifarhad?

Mae'n anodd cofio'r cowdal o feddylia a theimlada a fu'n arteithio'r nos. Un funud cawn fy llenwi â hunandosturi. Gweld Kate yn gneud cythral o dro sâl efo fi. Y funud nesa roeddwn i'n gwingo mewn plwc o atgasedd pur tuag ati. Ond y cenfigen oedd waetha! Dychmygu noethni'r ddau; dychmygu eu caru. A dyna'r adega pan y byddwn yn teimlo fwya fel dial arni.

Rywbryd rhwng tri a phedwar y bora, codais i neud coffi i mi fy hun, a rhoi jòch go dda o wisgi yn ei lygad o. Eisteddais wedyn wrth y cyfrifiadur, i rannu fy nghwyn efo hwnnw:

Hydref 5ed: Fy siomi'n fawr yn Kate bnawn ddoe. Mae hi ar gael i unrhyw ddyn, bellach – hyd yn oed i wehilion cymdeithas! Hwran! Taflu'i hun at ddieithryn! Hwran! Drws ei fflat yn agored led y pen iddo fo. A drws ei llofft! Hwran! Hwran! Hwran! . . . Ond, oes posib 'mod i'n collfarnu? Oes posib ei bod hi wedi fy ngweld i yn y dafarn a'i bod hi'n fwriadol wedi trio creu cenfigen? Nad ydi'r epa blêr yn golygu dim iddi, mewn gwirionedd? Neu mai ei brawd hi ydi o, wedi'r cyfan? Os dyna'i chymhelliad, sef chwarae ar fy nghenfigen i, yna mae hynny'n golygu ei bod hi'n dal i deimlo rhywbeth tuag ata i. Ond ffordd ryfedd ar y diawl o'i ddangos oedd mynd â hwn'na efo hi i'w gwely! Na. Hwran wyt ti, Kate! Hwran, a dim byd arall. Hen hwran ddiymwared! Ac mi fyddi di'n haeddu pob dim a gei di . . .

Fe deimlwn yn well wedi cael bwrw fy mol. 'Catharsis' ydi gair Dr Medway am y peth.

Ond ddeuai cwsg ddim wedyn chwaith. Dyna pryd y trois i at ddyddiaduron yr hen ddewyrth yn y gobaith y byddai diflastod yn dod â'i syrthni ei hun.

Hanas ei hynt a'i helynt yn ystod ei flynyddoedd cynnar

yn yr Unol Daleithiau oedd yn llenwi'r atgofion gan mwya ond o bryd i'w gilydd fe gawn yr argraff fod teimlada dwfn a hunllefa cydwybod yn bygwth brigo i'r gwynab. At ddiwedd 1917, er enghraifft, fe'i poenid gan y ffaith na fedrai fod allan yn ffosydd Ffrainc yn ' . . . herio teyrn yr Almaen, fel ag a wna fy hen gyfeillion'. A mynnai ddod 'nôl bob hyn a hyn, a chyda pheth chwerwedd, at 'wraig Elimelech' a 'nith Mordecai', ond yn amlach na dim, at 'lwgrdâl y Casglwr Trethi'. Beth bynnag oedd yr 'arian Jiwdas' y cyfeiriai ato, gallwn dybio ei fod yn swm go sylweddol, oherwydd soniai am ei sefydlu'i hun mewn busnas ar y cyfla cynta posib.

Roedd y wawr ar dorri pan ddois at y cofnod olaf un, o dan Gorffennaf 6ed 1918: 'Er fy mod wedi fy nghlymu gan addewid a llwgrdâl y Casglwr, fe fynnaf, ryw ddydd, ddatgelu'r cyfan a rhoi'r allwedd i ddatrys pob dirgelwch.' Erbyn hynny roeddwn wedi hen flino ar yr holl rwdl.

Do, fe ges rywfaint o gyntun cyn amsar codi, ond cwsg hunllefus oedd o. Edrychwn i lawr ar gorff di-arch yr hen ddewyrth Andrew yn gorwadd mewn bedd bas. Aneglur oedd ei wynab. Dim ond hen wraig mewn coban wen oedd yn bresennol yn yr angladd. Dorothy oedd honno, wrth gwrs, wedi codi oddi ar fwrdd ei llawdriniaeth yn yr ysbyty er mwyn cael claddu'i thad, cyn marw ei hun. Roedd ei galar yn amlwg yn y cryndod oedd yn sgrytian ei chorff, ond yna, wrth iddi godi ei gwynab tuag ata i, ces sioc o weld mai chwerthin yr oedd hi, a sioc waeth o sylweddoli nad Dorothy oedd yno o gwbwl ond Kate. Câi ei gwynab ei stumio'n hyll wrth i sŵn ei chwerthin mud ddod yn rhuada aflafar allan o geg fawr ddu. Fe'i gwelwn hi'n pwyntio i'r bedd wrth ei thraed ond nid yr hen ŵr Andrew Cairns oedd yno mwyach ond *fi*! Ac roedd hi rŵan yn cicio pridd i lawr dros fy ngwynab i . . .

Wrth neidio'n effro, methais ag atal fy hun rhag llithro dros erchwyn y gwely i gledwch y llawr, a chwys poeth yr hunlla'n troi'n gôt o rew amdanaf.

Mae'r haul ben bora yn llawn ias y gaea, yn golchi'n oer dros gerrig gwlyb y patio ond ar yr un pryd yn rhoi cyfoeth anhygoel i liwia'r coed yn y pelltar. Chwartar i wyth! Mae'r ail gwpanaid o goffi yn fwy chwerw na'r gynta ac yn gadael ei surni yn fy llwnc.

'A be wnei di heddiw?'

Wrth wylio gweddill y coffi llugoer yn diflannu i lawr y sinc, dwi'n gofyn cwestiwn y gwn i'r atab iddo ers oria. Yn gynta, rhaid ei gwylio *hi* yn gadael am ei gwaith. Yna, os na fydd ganddi gwmni yn gadael y fflat, ffonio fan'no wedyn – nid efo'r mobeil wrth gwrs, ond o giosg. Wedi'r cyfan, dydi o mond teg imi gael gwbod a ddaru hwn'na dreulio'r nos gyfan efo hi ai peidio. Yna, fe a' i ymlaen i Lerpwl ac, ar fy ffordd, ffonio'r Llyfrgell Archifau a Hanes Lleol yn William Brown Street i ofyn iddyn nhw gadw peiriant meicroffilm ar fy nghyfar.

* * *

'Y *Liverpool Mercury*? Ydi, mae hwnnw hefyd ar *microfiche*. Pa rifynna 'dach chi isio edrych arnyn nhw?'

Nid dyma'r boi a fu'n fy helpu y tro diwetha imi fod yma. Rhyw greadur ifanc plorynnog oedd hwn a doedd o ddim yn edrych arna i wrth siarad oherwydd roedd ei ddiddordab mewn tin siapus oedd yn plygu dros fwrdd gyferbyn. Fel finna, roedd ynta'n rhyfeddu, siŵr o fod, sut y gallodd y ferch – myfyrwraig yn ôl ei golwg – dywallt ei hun i mewn i jîns mor dynn.

'1914 a 1915 . . . A'r *Daily Post* am yr un blynyddoedd.'

'Dwy ffilm gewch chi ar y tro!' Swniai'n edliwgar, fel pe bai'n fy nghyhuddo o fod yn farus. 'Pa rai?'

'Y *Post* a'r *Mercury* . . . 1914.'

'Iawn 'ta.'

Wyddwn i ddim yn iawn am be i chwilio. Os gallwn roi coel ar ddyddiadur yr hen foi, yna roedd rhywbeth o bwys wedi ymddangos yn y *Post* a'r *Mercury* cyn Rhagfyr 27ain 1914; yn ystod y saith wythnos ar ôl iddo hwylio allan o Lerpwl. Fy ngobaith gora, felly, oedd gweithio'n ôl drwy'r rhifynna.

Sylweddolais yn fuan nad oedd y gwaith mor drafferthus ag yr oeddwn wedi'i ofni, oherwydd mai deuddeg tudalen ar y mwya oedd i bob rhifyn, a'r rheini'n cynnwys amryw byd o hysbysebion, beth bynnag; hysbysebion diddorol y gallwn eu cysylltu â'm plentyndod fy hun. *WILL'S CAPSTAN CIGARETTES* efo llun cwch yn cael ei godi gan ymchwydd môr stormus neu *SUNLIGHT SOAP* efo hen wraig hynaws yn gwenu uwch ei golchi mewn twb pren. Yr un a gofiwn orau oedd hwnnw efo'r gŵr yn y sowestar ac efo'r farf fawr wen, yn syllu'n newynog ar ddùn o sardîns – *SKIPPERS ARE BASIC FOR TEA* meddai'r llythrenna breision.

Gymaint oedd fy niddordab ynddyn nhw fel y bu bron imi golli'r hyn y chwiliwn amdano. Rhifyn dydd Mawrth, 30ain Tachwedd –

MURDER VICTIM FINALLY LAID TO REST

Alice Grey, 20 years old, whose naked and ravished body was discovered at Huskisson Branch Dock Timber Yards on the night of the twelfth of October, was finally buried yesterday in Stanley Park graveyard. Her body had lain for over six weeks in the mortuary awaiting the coroner's permission for it to be interred. As reported in this paper yesterday, police now believe that her murderer, Andrew Cairns, may have flown the country to avoid the ultimate penalty for his gruesome deed. It is thought that he may have sailed for America and detectives have now sought the help of the FBI to track him down. His foul deed has brought shame on his native Liverpool and the sooner he is caught and brought to justice and to face the gallows, the better for all concerned.

Fe'i darllenais droeon, a dal i syllu'n hir wedyn ar y sgrîn o'm blaen, yn methu credu mai'r dyma'r cadarnhad y bûm yn chwilio amdano. Fe wyddwn am Ddòc Huskisson yn iawn, wrth gwrs, fel ag am y rhan fwya o ddocia Bootle a Kirkdale. Wedi'r cyfan, eu iardia coed nhw oedd ein hoff lefydd chwara ni pan oeddem yn blant, a go brin, meddyliais, eu bod nhw wedi newid rhyw lawar rhwng amsar Andrew Cairns a chyfnod fy mhlentyndod i fy hun. Gwenais wrth gofio fel y bydden ni'n herio'n gilydd i ddringo dros giatia uchel iard goed Dòc Huskisson ar ôl iddi nosi i . . . !

Dyna pryd y sylweddolais, gyda ias o gyffro, fod llofruddiaeth Alice Grey yn hysbys imi eisoes, a'i bod hi'n rhan o'n llên gwerin ni pan oeddem yn blant. Onid yr her a osoden ni i'n gilydd oedd treulio awr gyfan yn nhywyllwch yr iard goed yng nghwmni ysbryd rhyw Alice neu'i gilydd? Ond mi feddyliais erioed mai chwara diniwad plant oedd peth felly, oherwydd roedd gynnon ni straeon tebyg am iard goed Dòc Alexandria a seidins yr L&NWR hefyd. I ni, rhywun chwedlonol oedd y *Mersey Dock Strangler*. Fo oedd ein hateb ni i *Jack the Ripper* yn Llundain. Straeon o'r oes o'r blaen oedden nhw. Neu felly y tybiais i tan rŵan. Tipyn o sioc oedd sylweddoli nad ffrwyth dychymyg plant oedd yr Alice y bydden ni gymaint o ofn herio'i hysbryd. Y sioc fwya, fodd bynnag, oedd darganfod mai un o'm hynafiaid i fy hun oedd y llofrudd honedig.

Diflannodd fy niddordab yn yr hysbysebion wrth i dudalen ar ôl tudalen wibio'n stribedi aneglur ar draws y sgrîn. Rhifyn Dydd Mawrth, Hydref 12fed, oedd yn bwysig bellach. Ond, er chwilio'n daer yn hwnnw, methwn weld unrhyw gyfeiriad at lofruddiaeth, nes sylweddoli mai dyna'r dydd y cyflawnwyd y drosedd ac mai yn rhifyn y diwrnod canlynol y dylwn fod yn chwilio. A dyna lle'r oedd. Dydd Mercher Hydref 13eg. Pennawd mewn llythrenna mawr duon – *MURDER IN KIRKDALE! YOUNG WOMAN'S BODY FOUND*. Rhyfeddais at mor fanwl oedd yr adroddiad, cyn sylweddoli gyda pheth syndod bod gohebydd y *Mercury* yn bresennol, mae'n rhaid, tra oedd yr heddlu'n astudio'r corff ac yn gneud eu hymchwiliada. Châi peth felly mo'i ganiatáu heddiw, meddyliais. Âi'r adroddiad ymlaen i egluro ei bod yn rhy gynnar yn yr achos i fedru rhoi enw i'r corff marw.

Dros y tridia nesa rhoid sylw tudalen flaen i'r ymchwiliad. Ar yr ail ddiwrnod caed manylion ynglŷn â'r ferch a laddwyd – Alice Grey, ugain oed, yr hynaf o bump o blant Mr a Mrs Thomas Grey, Braemar Street. Ei thad yn gyflogedig gyda Chyngor y ddinas, ac yn gweithio ar y drol ludw. Teimlais gynnwrf eto, oherwydd bod Braemar Street hefyd yn gyfarwydd imi, byth ers dyddia'r beic a'r cario allan o siop Carltons ers talwm. Ar y trydydd diwrnod fe ddywedid bod yr heddlu yn gobeithio dwyn y llofrudd i'r ddalfa o fewn ychydig ddyddia, honiad yr oedd y Papur ei hun yn bur wamal ohono.

Aeth dyddia heibio wedyn heb unrhyw newyddion pellach. Yna, yn rhifyn Hydref 26 rhoddwyd y golofn olygyddol i gyd i drafod yr achos. Beirniadaeth o'r heddlu oedd hi'n bennaf. Gofynnid pam eu bod mor hir yn dwyn rhywun i'r ddalfa a nhwtha wedi honni y caent ddiwedd buan i'r achos. A doedd y golofn ddim yn brin chwaith o atgoffa'r darllenwyr o safbwynt y *Mercury* ar y pryd ynglŷn â'r hyn a elwid yn 'optimistiaeth ffug y plismyn'. Un peth y cytunid arno gan yr heddlu a'r Papur oedd mai rhywun lleol oedd y llofrudd.

Ar Dachwedd 29ain y brigodd y stori, wedyn. Pennawd tudalen flaen unwaith eto – *KILLER NAMED* – ac yna'r is-bennawd *Timber Yard Murderer thought to have fled the country.*

Yn ôl yr erthygl, roedd yr heddlu wedi derbyn gwybodaeth gyfrinachol fod llofrudd Alice Grey, sef gŵr o'r enw Andrew Cairns o ardal Kirkdale, wedi hwylio allan o Lerpwl ar y pedwerydd o Dachwedd ar y llong *Anglesey Queen* a'i fod bellach wedi glanio yn Baltimore ac wedi 'diflannu'. Disgwylid cael cydweithrediad yr FBI i ddod o hyd iddo ac i'w estraddodi yn ôl i Brydain.

Pe bai'r 'wybodaeth gyfrinachol' wedi ei derbyn chydig ddyddia ynghynt, meddyliais, yna fe ellid bod wedi arestio'r hen ddewyrth wrth iddo adael y llong yn Baltimore. Ond, fel roedd hi, mi gafodd gyfla i ymdoddi'n ddigon hawdd, mae'n siŵr, i ganol y cannoedd mewnfudwyr o bob lliw a llun a chenedl ac iaith oedd yn cyrraedd America'n ddyddiol ym mlynyddoedd cynnar y ganrif. Ac mi newidiodd ei enw, er mwyn diogelwch pellach. Yn yr eiliad honno, fe ddaeth fflach o weledigaeth imi. *Cairns* a *Graves*! Onid gair arall am 'bedd' oedd 'cairn', carnedd? Falla nad oedd yr hen ddewyrth wedi dangos llawar o ddychymyg ond doedd o ddim wedi cefnu'n llwyr ar enw'i deulu chwaith.

Aeth fy meddwl yn ôl at gofnod Rhagfyr 27ain yn y dyddiadur – 'Beth bynnag a ddywed y *Post* a'r *Mercury*, nid ar fy nwylo i y mae ei gwaed hi. Nid fi a'i lladdodd hi, ac fe ŵyr y Casglwr Trethi hynny cystal â neb! Ond cytundeb yw cytundeb. Fe werthais fy enaid, a'm henw . . . ' Rhywsut neu'i gilydd, rhaid ei fod wedi derbyn rhifynna Tachwedd 29ain o'r ddau bapur. Roedd rhywun wedi eu hanfon ato!

Newidiais un ffilm am y llall a gwibio trwy ddalenna'r *Daily Post* am yr un cyfnod. Tebyg oedd yr adroddiada yn fan'no hefyd ond bod yma lun yn ogystal, llun o 3 St Agnes Road, Kirkdale. CARTRE'R LLOFRUDD meddai'r pennawd. Un stori yn y *Post* drannoeth, nad oedd i'w chael yn y *Mercury*, oedd hanas y difrod a wnaed i ffenestri'r tŷ yn St Agnes Road a'r modd y cafodd teulu'r llofrudd eu bygwth. Doedd dim isio dychymyg i wybod mai adroddiad y *Post* ei hun fu'r sbardun i'r fandaliaeth hwnnw. Nid cyd-ddigwyddiad chwaith, does bosib, oedd bod stori'r difrod yn ymddangos ochor yn ochor efo hanas angladd Alice Grey.

Cefais fwy o drafferth i ddenu sylw'r llanc plorynnog y tro yma ond, wedi imi lenwi'r pwt o ffurflen bwrpasol a throsglwyddo 1914 yn ôl dros y cowntar iddo, fe aeth i chwilio am rifynna 1915. Efo'r *Post* y dechreuais i rŵan gan gychwyn yn nechra Ionawr. Ac eithrio un adroddiad byr yn rhifyn Ionawr 6ed yn honni bod Andrew Cairns wedi cael ei weld yn Llundain yr wythnos gynt, doedd dim i awgrymu bod yr heddlu rywfaint nes i'r lan ynglŷn â'r achos. Yna, yn annisgwyl hollol, dyna bennawd mawr du rhifyn Ionawr 22ain yn fy syfrdanu –

MERSEY DOCK STRANGLER STRIKES AGAIN

The killer of Alice Grey, the young woman whose ravished body was found in the Huskisson Branch Dock timber yard last October, may have struck again. Early yesterday morning, men reporting for work at the Alexandria Branch Dock (No. 2) timber yard in Bootle discovered the naked body of Joan Gleese, a twenty four year old mother of two young children. As with the first murder, the rope used by the strangler had been left around the victim's neck.

This development seems to clear the name of Andrew Cairns, previously suspected of the Kirkdale murder. Police are not totally convinced, however. They believe that the suspect could have returned to the Liverpool area, or that the recent killing in Bootle could be what is referred to as a 'copy-cat murder'. They say that it is far too early to come to any safe conclusion on the matter.

Âi'r erthygl ymlaen wedyn i ddisgrifio dychryn pobol yr ardal a'u hanfodlonrwydd efo ymdrechion yr heddlu lleol. Dylid galw am gymorth Scotland Yard, rhag blaen, ym marn y *Post*.

Câi'r achos ei drafod mewn rhifynna olynol o'r papur ond fel yr âi'r dyddia heibio, byrrach oedd yr erthygla hynny'n mynd, nes iddi ddod yn amlwg o'r diwedd nad oedd gan yr heddlu fawr o drywydd i'w ddilyn. Erbyn diwedd yr wythnos, roedd gohebwyr y *Daily Post* wedi darganfod digon o ddeunydd arall i fynd â bryd eu darllenwyr.

Wrth bori'n ddi-fudd trwy rifynna Chwefror fe ddechreuais deimlo nad oedd rhagor o wybodaeth ar gael imi, nes imi ddod at ddiwrnod olaf-ond-un y mis bach. Yno, ar waelod tudalen 2, y pennawd – *BROTHER OF MURDER SUSPECT MARRIES*. Hanas priodas Joseph Cairns a Gwen Maredydd! Priodas fy nhaid a'm nain i fy hun! Er mor foel yr adroddiad, methwn gredu fy mod yn edrych arno o gwbwl. Joseph Cairns, mab Mathew a Victoria Cairns, 3 St Agnes Road, Kirkdale, a Gwen Maredydd, unig ferch Dafydd ac Ellen Maredydd, 17 Park Road East, Birkenhead.

The bridegroom is the younger brother of Andrew Cairns whom the police still want to question with regard to the murder of Alice Grey at Huskisson Branch Dock Timber Yards in Kirkdale last October. The pair chose to marry at the Welsh Congregational Chapel in Birkenhead, with only the bride's parents and the groom's best man present.

Awgrym annheg y frawddeg ola, yn fy marn i, oedd fod y pâr ifanc wedi dewis priodi yn ddigon pell o'r man lle y cyflawnwyd y drosedd. Awgrym arall, o bosib, oedd ei bod hi'n briodas amhoblogaidd a bod aeloda'r cyhoedd wedi penderfynu dangos eu teimlada trwy gadw draw.

Rhyw chwilio'n ddiamcan y bûm i wedyn, tan ginio, heb wybod yn iawn be i'w ddisgwyl, os disgwyl dim. Ac yna, yn rhifyn Ebrill 3ydd – *MERSEY DOCK STRANGLER CLAIMS THIRD VICTIM*. Eileen McGough, merch ddeunaw oed, wedi'i darganfod yn noeth ac yn farw yng nghefn sièd nwyddau yr L&NWR, ddau ganllath o'i chartra yn Nelson Street, Bootle.

. . . Police say that Andrew Cairns is no longer a suspect and that they are no longer interested in having him extradited from the United States.

Teimlais gynnwrf go iawn y tro yma. Sièd a *sidings* yr L&NWR yng nghefn Nelson Street! Dyma un arall o'n hoff lefydd chwara ni pan oeddem yn blant. A chofiais rŵan bod *'Ysbryd Eileen'* hefyd, fel un *'Alice'* a *'Joan Gleese'*, wedi bod yn rhan o'n chwedloniaeth leol ni. Onid dyma'r orsaf, lai na hannar milltir o 'nghartra fi yn Canal Street, lle cafodd Jimmy Walsh ddysgu bod yn daniwr ers talwm, yn symud trycia gwag a llawn rhwng fan'no a'r siedia mawr ym mhen y lein yn Sandhills Lane, Kirkdale? Dwi'n cofio Jimmy yn honni wrthon ni, rywdro, iddo weld Ysbryd Eileen pan oedd o'n gweithio ar shifft nos, ond chwerthin wnaeth pob un ohonon ni, a'i alw'n glwyddog. A chwerthin wnaeth Jimmy ei hun hefyd, wedyn. A rŵan, dyma dystiolaeth bendant o'm blaen *nad* chwedloniaeth mo Eileen chwaith, mwy na'r ddwy arall. Eileen McGough, Joan Gleese ac Alice Grey! Nid cymeriada o ryw orffennol pell oedden nhw ond pobol anffodus o gig a gwaed, a berthynai i genhedlaeth ein teidia a'n neinia ni. Nid am y tro cynta, rhyfeddais fod hanesion mor erchyll, ac o gyfnod cymharol ddiweddar, wedi ymddangos yn betha mor afreal ac mor amherthnasol i ni blant.

Uwchben fy mhei boeth a tsips yn y Legs of Man, dau beth oedd ar fy meddwl. Yn gynta, priodas Nain a Taid yn niwadd Chwefror 1915. O gofio bod Nhad wedi'i eni ar Ebrill y chweched, roedden nhw wedi gadael petha'n dynn ar y naw cyn priodi, meddyliais. Yn ail, fe yrrwyd rhifynna Tachwedd 29ain 1914 o'r *Daily Post* a'r *Liverpool Mercury* i Andrew Cairns yn America. Trwy'r rheini y cafodd wybod ei fod yn cael ei erlid am ladd Alice Grey. Dros ddeugain mlynadd yn ddiweddarach fe aeth yr un gŵr, wrth yr enw

Andrew Graves erbyn hyn, i'w fedd yn Columbus Junction, Ohio, yn dal i gredu bod yr heddlu yn Lerpwl yn ei gyhuddo o fod yn llofrudd. Y cwestiwn oedd yn fy mhoeni fi rŵan oedd – Pam na fasa pwy bynnag a anfonodd rifynna Tachwedd 29ain o'r *Post* a'r *Mercury* iddo, y rhai a'i cyhuddai o fod yn llofrudd, wedi anfon rhifynna Ebrill 3ydd, 1915, ato hefyd, fel y câi wybod *nad* oedd bellach yn cael ei erlid?

Medrwn feddwl am nifar o atebion. Falla bod gwybodaeth mis Ebrill wedi cael ei hanfon iddo ond ei fod ef wedi newid cyfeiriad a heb ei derbyn . . . Falla bod y newid enw wedi bod yn rhwystyr . . . Falla bod rhywbeth anffodus wedi digwydd yn y cyfamsar i'r cyfaill anhysbys, neu hwyrach iddo ymfudo o'r ardal neu'r wlad . . . Neu – ac roedd hwn yn 'neu' go fawr – falla mai'r holl bwrpas oedd gneud yn siŵr bod Andrew Cairns yn aros yn America, mewn ofn o'r heddlu!

Wrth wagio fy ngwydryn a'i daro ar y bar ar fy ffordd allan, fe'm synnwyd wrth sylweddoli nad o'n i wedi rhoi eiliad drwy'r bora i feddwl am Kate. Ond daeth hi'n ôl rŵan fel lwmp o fara sych neu lwnc o gig croes yn gwrthod cymryd ei dreulio. Clywais eto, yn fy mhen, y llais trwm yn atab fy ngalwad ben bora – 'Helô? . . . Helô! . . . ' Finna'n synhwyro'r tyndra'n dod i'w anadl ar ben arall y lein wrth i'r eiliada distaw fynd heibio. 'Pwy uffar sy 'na? . . . ' Yna'r llais yn codi eto, ' . . . Gwranda, y pen bach, pwy bynnag wyt ti . . . ' Roedd o wedi trio meddwl am fygythiad digon maleisus ond rhois y ffôn yn ôl yn ei grud cyn iddo gael cyfla, a chael plesar o ddychmygu'i rwystredigaeth. Sawl gwaith, tybad, yn ystod y bora, oedd hi wedi ffonio'r fflat o'i gwaith, i gael gair efo fo? A chael clywad am yr alwad ddienw! Oedd y llabwst yn dal i ddiogi yn ei wely – ei gwely hi! – er gwaetha'r alwad honno? Oedd, mae'n siŵr. Un felly oedd o, wrth gwrs! Oedd hi wedi picio i'w weld yn ystod ei hawr ginio? Oedd hi wedi'i noethi'i hun iddo fo? Oedden nhw wedi bod yn caru'n wyllt? Hwran, Kate! Hwran!

Wnes i ddim trafferthu mynd nôl i'r llyfrgell.

* * *

Fe fûm ddyddia cyn rhoi rhagor o sylw i'r Hen Ddewyrth. Roedd gen i ormod i'w neud gartra, a deud y gwir, i fedru poeni rhyw lawar ynghylch Andrew Cairns a'i broblema gynt. Llawar o waith sgwennu, lot o waith cynllunio, a chryn dipyn o waith yn yr ardd yn paratoi a thacluso. Ar ôl cribinio'r dail crin oddi ar y lawnt yr wythnos ddiwetha a rhoi paliad go dda i bridd y gwelya bloda, roedd Hugh'r Garddwr wedi diflannu am y gaea, gan adael addewid i ddod 'nôl 'yn gynnar yn y gwanwyn', yn union fel pe bai'n wennol yn ymfudo am wlad well.

Roeddwn i'n croesawu'r llonydd a gawn yn yr ardd, gan fod gwaith paratoi calad i'w neud yno, ond roedd y dyddia, fel arall, yn llawn rhwystredigaeth, oherwydd Kate. Roedd ei lojar diog yn dal efo hi, heb unrhyw fwriad i chwilio am waith. Roedd o'n byw ar ei chefn hi – ymhob ffordd, mae'n siŵr! Hwran!

Bûm yn clirio rhywfaint ar y garej hefyd. Nid bod honno'n arbennig o flêr, ond ro'n i isio dod o hyd i'r poteli bychain yr arferwn eu cadw'n saff yno. Fe wyddwn eu bod nhw ynghudd ar un o'r silffoedd yn rhywle ond do'n i ddim wedi taro fy llygad arnyn nhw ers pymtheng mis neu fwy. Fe'u cefais o'r diwadd – un heb ei hagor a'r llall yn hannar llawn.

Rwy'n fy nghael fy hun yn hel mwy a mwy o atgofion amdanon ni'n dau, Katie, ac mae'r dyddiaduron yn fendithiol iawn yn hynny o beth. Y tro hwnnw, er enghraifft, y buon ni'n cerddad Clawdd Offa, rhwng Trefyclo a Llanandras. Wyt ti'n cofio? A'r tro arall hwnnw pan gawson ni bicnic yng nghoedwig Delamere? Neu'r diwrnod poeth ar draeth y pentra bychan hwnnw heb fod ymhell o

Borthmadog yng Ngogledd Cymru? Wyt ti'n cofio fel y bydden ni'n syllu i fyw llygada'n gilydd? Doedd dim rhaid deud dim, yn nagoedd? Roedd ein teimlada ni mor gwbwl agorad, y naill tuag at y llall. Rwyt ti'n dal i 'ngharu fi, Kate, mi wn i hynny, ond be ddigwyddodd, i betha newid mor sydyn? Wna i byth ddallt pam y diflannodd y wên a'r disgleirdeb o dy lygad. Wna i byth ddallt pam dy fod ti'n smalio fy osgoi. Mae gen i'r fath hiraeth am y dyddia braf, Kate. Dyna pam fy mod i yn eu hail-fyw mor amal. Fyddi *di* ddim yn eu dwyn i gof weithia, 'nghariad i? Ynte wyt ti'n smalio efo ti dy hun na ddaru nhw erioed ddigwydd? Fydd gen ti ddim hiraeth o bryd i'w gilydd? Fyddi di ddim yn gofidio iti droi cefn arna i? Rydw *i* wedi dal gafael ynot ti trwy bob dim, beth bynnag! Ac wedi madda pob dim iti hefyd – o fewn rheswm. Fyddai ddim yn well gen ti fy nghael *i* i rannu dy wely, unwaith eto? Pam uffar wyt ti'n rhoi dy hun mor barod i ryw labwst gwalltog blêr? Pam wyt ti'n f'osgoi i? Ai ti ddaru gwyno amdana i wrth yr heddlu? Dwi'n methu credu'r peth. Dwi'n methu credu dy fod ti wedi gwadu pob dim a fu rhyngon ni. A finna wedi gneud *cymaint* er dy fwyn di! Wedi mentro pob dim er dy fwyn. *Pob dim!* A be oedd dy ddiolch di? Fy nhaflu fi o'r neilltu, fel baw ar doman. Does fawr ryfadd 'mod i'n teimlo'n wag ac yn ddiwerth. Does fawr ryfadd 'mod i'n styried gneud amdanaf fy hun. Dyna fyddai'n peri iti deimlo'n edifar, yn de? Fi'n lladd fy hun! Mi fedra i neud hynny'n ddigon hawdd, cofia! Mae'r stwff gen i. Mi fasa gen ti gywilydd ohonot dy hun wedyn yn reit siŵr. Ac mi fyddet ti'n sylweddoli be ydi hiraeth. Ond mi fasa'n rhy hwyr i ddagra . . . Sioe o ddagra fasan nhw, wrth gwrs, oherwydd wyddost ti ddim be ydi cariad go iawn. Hunanol wyt ti, Kate . . . Hunanol . . . anniolchgar . . . anffyddlon . . . A pham hynny? Wel am mai hwran wyt ti, dyna pam! Hen hwran! Wyt ti'n tybio am eiliad y bydd yr epa 'na sy'n cael croeso i dy wely di yn aros yn ffyddlon iti? Lle bydd o ymhen mis . . . neu ddau . . . meddat ti, pan fydd o wedi cael ei wala ohonot ti? Ti fydd ar y doman bryd hynny, a brysied y dydd! Ia, brysied y dydd, ddeuda i. Hwran!

Nain Gwen, yr Hen Ddewyrth a'i ddirgelwch, y dyddiaduron . . . Yn ôl Dr Medway, nhw ydi fy nihangfa i. 'Rhaid ichi gael digon o betha i symud eich meddwl, Mr Cairns. Dydi treulio gormod o amser ar eich pen eich hun, yn gneud dim ond hel meddylia, yn gneud dim lles o gwbwl ichi. Mi ddaru chi ymddeol yn llawer rhy gynnar, wyddoch chi. Ond dyna fo, dwi wedi deud hynny droeon wrthoch chi'n barod yn do? Pe baech chi'n chwara golff neu bysgota, neu'n hoff o gerdded neu loncian neu rywbeth felly, yna mi fyddai pob dim yn iawn, ond y ffaith ydi nad oes gennych chi ddim digon o ddiddordeba. Dyna pam y mae'n dda gen i ddeall rŵan eich bod chi wedi dechra ymddiddori yn achau'ch teulu. O leia mae hynny'n rhoi rhywbeth ichi ganolbwyntio arno heddiw ac i feddwl amdano at yfory . . .'

Hy! Be ŵyr y diawl, beth bynnag? O styried mor dawedog ydi o fel rheol, roedd hon'na'n araith go hir ganddo fo. 'Dwi'n wrandawr da.' Dyna mae o'n arfar ei ddeud. Ond fe siaradodd fwy na'i siâr bnawn heddiw, yn reit siŵr. Prin ddaru fo holi am Kate! Hynny'n rhyfadd oherwydd mae o'n licio 'nghlywad i'n sôn amdani fel rheol; wrth ei fodd yn gwrando arna i'n deud sut dwi'n teimlo amdani. Y tro dwytha, pan oedd o'n fy annog i ddisgrifio'n fanwl un o sesiyna caru Kate a finna, mi welis i ryw olwg ryfadd ar ei wynab o. Dyna pam nad ydw i wedi bod ato fo wedyn tan heddiw, am 'mod i'n siŵr mai rhyw fath o byrfyrt ydi'r diawl.

Sut bynnag, rydw i wedi derbyn ei gyngor ac wedi mynd ati o ddifri efo'r busnas hel acha 'ma. Mae'r goedan wedi llenwi'n sylweddol erbyn hyn, ond rhyw bren digon pethma ydi o, mae gen i ofn, efo llawar gormod o friga diffrwyth ac o ganghenna diwerth. Duw a ŵyr y gwaith a gâi Hugh'r Garddwr i docio'r goedan yma!

'Pawb drosto'i hun ydi hi yn yr hen fyd 'ma, 'ngwas i!' Geiria Nhad oedd rheina, pan oedd ar fin cael un o'i blycia iseldar. 'Pawb drosto'i hun, a phaid â bod ofn sathru cyrn cythral o neb. Fe ddysgodd dy daid hynny imi.' Felly rydw inna'n teimlo heddiw hefyd. Fi, a neb arall, fydd yn bwysig o hyn allan, a rydw i am ddechra dangos hynny i bobol. Glywist ti hyn'na, Kate? Fi, a neb arall! Dyna pam rydw i wedi dechra ymddiddori yn yr ardd unwaith eto. Dyna pam yr es ati i glirio'r garej!

'Robert! Fi sy 'ma.'

'O! Be sy, Mam? Be 'dach chi'i isio?' Rhaid ei bod hi isio rwbath neu fyddai hi ddim yn ffonio. Dwi wedi sylwi ei bod hi'n mynd yn fwy a mwy hunanol wrth fynd yn hŷn.

'Isio deud rwbath wrthat ti ydw i. Newyddion da, neu felly dwi'n meddwl beth bynnag.'

'O?'

'Wyt ti'n barod am dipyn o sioc?'

''Dach chi wedi ennill y lotri!' Dwi'n gwbod mai gwamal ydi'r awgrym ac mai digon sych ydi fy llais.

'Ddim cweit.'

'Ddim cweit? Be, felly?'

'Dwi am briodi . . . '

Doeddwn i ddim yn siŵr a o'n i wedi clywad yn iawn.

' . . . Wel? . . . '

'Deudwch hyn'na eto.'

'Be? 'Mod i am briodi? . . . Wel, be wyt ti'n ddeud?'

'Deudwch i mi, Mam. 'Dach chi wedi bod ar y botal, 'ta be?'

'Paid â bod yn wirion. Fûm i rioed yn sobrach. Mae Harold wedi gofyn imi'i briodi fo . . . a dwi wedi deud y gwna i.'

'Dwn i ddim faint o eiliada o dawelwch a aeth heibio wedyn.

'Wel? . . . '

'Pwy uffar ydi Harold pan mae o gartra?'

'Rwyt ti wedi'i gwarfod o, y diwrnod y buost ti yma ddwytha . . . '

Hy! Yr hen foi danheddog hwnnw oedd yn gorweddian ar y soffa ac yn nyrsio mwy na'i siâr o *Tullamore Dew* Mam!

' . . . wythnosa'n ôl!'

Trio edliw mae hi rŵan! 'Mam, gwrandwch! Rydach chi'n siarad yn wirion. Rydach chi'n bedwar ugain oed! Pedwar ugain! Fedrwch chi ddim blydi sôn am briodi, siŵr dduw!'

Dydi hi ddim fel pe bai hi'n gwrando. 'Mae Harold yn ddyn nobl, ac mae ynta hefyd yn unig.'

'Nobl o ddiawl! Waeth gen i pa mor nobl ydi o . . . na pha mor unig chwaith . . . '

'Nacdi, mae'n siŵr, mwy nag ydio o bwys gen ti pa mor unig ydw inna. Rwyt *ti*'n fodlon ar dy ben dy hun, wrth gwrs. Rhyw ddili-dô o rwbath wyt ti wedi bod erioed, yn byw yn dy feddwl ac yn dy fyd bach dy hun. Fuost ti rioed yn un i chwilio llawar am gwmni, ac oni bai am Constance, fyddet ti rioed wedi meddwl priodi chwaith.'

Mae'r teclyn yn ôl yn swnllyd yn ei grud cyn imi gael meddwl am atab. Be nesa, wir dduw?

* * *

'Mr Robert Cairns?'

'Ia.'

'Archifdy Dolgelle sy 'ma.'

'O ia?'

'Fe ofynsoch inni neud tipyn o ymchwil i hanes eich hen nain chi? . . . Ellen Roberts?'

'Ellen Roberts? . . . Na, dwi'm yn meddwl.' Roedd yr

102

enw'n hollol ddiarth imi!

'Ellen Maredydd wedi iddi briodi.'

'O! Siŵr iawn! Roberts oedd hi, felly?'

'Ia. Merch Edward a Gwen Robert – Robert heb yr 's' sylwch – Stryd Tan y Domen, Bala. Fe briododd efo gŵr o'r enw Dafydd Maredydd ar yr ail o Fehefin 1888, yn eglwys Llanfor . . .'

'Arhoswch, wir dduw, imi gael papur a phensal! . . . Rhaid ichi sillafu'r enwa od 'na imi . . .'

'Peidiwch â phoeni, Mr Cairns! . . . ' Mae ei llais wedi magu sŵn sych. '. . . Mi fyddwn ni'n taro pob gwybodeth sydd gynnon ni am eich teulu yn y post ichi.'

'Duw, reit dda! Gawsoch chi lawar o draffarth?' *Oria lawar o waith*, ddeudith hi mae'n siŵr, er mwyn cyfiawnhau uffar o fil am yr ymchwil!

'Naddo. Awr a hanner o waith. Roeddech chi'n lwcus, a deud y gwir, bod eich hen nain wedi dewis mynd 'nôl i'r Bala i briodi yn 1888, oherwydd ym Mhenbedw roedd hi a'ch hen daid Dafydd Maredydd yn byw ac yn gweithio ar y pryd. Sut bynnag, Ellen Roberts oedd hi bryd hynny ac roedd enw'i thad ar y gofrestr, yn ogystal â chyfeiriad y cartre yn Stryd Tan y Domen. Roedd y teulu, sef Edward a Gwen Robert a phump o'u plant – Ellen oedd yr ail hyna – yn byw yn yr un tŷ pan wnaed Cyfrifiad 1881 ond does wybod lle'r oedden nhw yn 1871. A dyna cyn belled ag yr ydw i wedi mynd, ond mi fedra i ymchwilio ymhellach pe baech chi'n dymuno.'

'Duw na! Dyna fwy nag oeddwn i'i isio. Fe ddo' i ar eich ôl chi eto os bydd angan.'

Drannoeth, fe gyrhaeddodd yr wybodaeth lawn yn y post. A bìl am ddeuddeg punt! Bargan os ces i un erioed! Ddeuddydd yn ddiweddarach, fe ddaeth gair o archifdy Rhuthun hefyd. Dafydd Maredydd yn fab i William ac Elizabeth Maredydd, ffarm Pant Mawr, Dyffryn Clwyd.

William a'i ddau frawd a dwy chwaer, wedi eu geni a'u magu yno, a'r teulu Maredydd wedi ffarmio Pant Mawr ers o leia ddwy genhedlaeth, yn ôl tystiolaeth Cyfrifiad 1841.

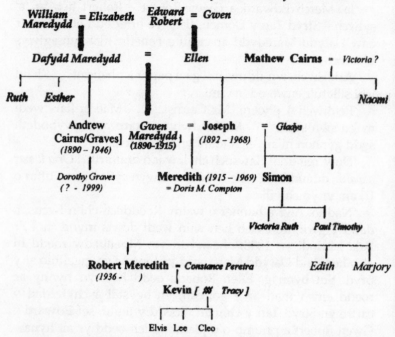

Uffar dân! Mae'r busnas hel achau 'ma'n medru bod yn gythral o gymhleth! Ond mae petha'n dechra cymryd siâp o'r diwadd a dwi'n dechra gweld i ble ac i be dwi'n perthyn. Un peth dwi *yn* ei sylweddoli erbyn rŵan, beth bynnag, ydi bod Hugh'r Garddwr yn llygad ei le yn yr hyn ddeudodd o. 'Os am goeden sy'n mynd i dyfu'n gry ac yn iach, os am goeden sy'n mynd i ddod â digon o ffrwyth, yna mae'n rhaid ichi docio'n ffyrnig bob hyn a hyn. Rhaid cael gwared â phob brigyn a changen ddiffrwyth yn ei bôn. Felly hefyd efo pob coeden rosod os 'dach chi isio pren sy'n mynd i roi bloda aroglus ichi, flwyddyn ar ôl blwyddyn. A rhaid ichi ofalu cadw coed felly yn rhydd rhag y *suckers* felltith, a rhag llau'r dail, sef y *greenfly*. A rhaid cofio rhoi gwrtaith yn rheolaidd i'w gwreiddia nhw. Cofiwch eiria'r ddameg, Mr Cairns – *Wrth eu ffrwythau yr adnabyddwch hwynt . . . Ni ddichon pren da ddwyn ffrwythau drwg, na phren drwg ddwyn ffrwythau da. Pob pren heb ddwyn ffrwyth da a dorrir i lawr, ac a deflir yn y tân.'*

Mae Hugh yn hoff iawn o'r gair 'rhaid', fel y gwelwch chi. Mae o hefyd yn ffond ar y diawl o ddangos faint mae o'n wbod o'i Feibil. Sut bynnag, dwi wedi hen benderfynu lle mae angan tocio ar ein coedan deuluol ni, oherwydd mae'n gwbwl amlwg erbyn rŵan pa rai ydi'r canghenna a'r briga diffrwyth. A does dim gwaith nabod ar y *suckers* a'r llau chwaith! Raid ichi ond edrych ar ochor Victoria Ruth a Paul Timothy o'r teulu! Cofiwch chi, mae gen i f'amheuon ynglŷn â phlant Kevin hyd yn oed, oherwydd bastads bach ydi'r rheini hefyd a does wbod i sicrwydd pwy ydi tad yr un ohonyn nhw. Ond dyna fo! Mae o, Kevin, wedi *bod* yn hapus efo'r Tracy 'na rywbryd neu'i gilydd, mae'n debyg, ac os mai fo ydi tad tri o'r plant, beth bynnag am y ddau arall, wel pob lwc iddo fo. Dydi'r un ohonyn nhw erioed wedi fy nhrin i fel taid, beth bynnag, felly twll eu tina nhw i gyd, ddeuda i! Ar Constance yr oedd y bai.

Fedra i ddim peidio meddwl mor wahanol y byddai petha pe bai Kate a finna wedi cael plant. Rydw i wedi breuddwydio llawar ynghylch hynny. Wrth gwrs, hyd yn oed rŵan dydi hi ddim yn rhy hwyr inni. Maen nhw'n deud fod Charlie Chaplin, er enghraifft, wedi cael plant pan oedd o yn ei saith dega! Felly, be wyt ti'n ddeud, Kate? Wyt ti'n fodlon trio? Yli di dŷ braf fasa gen ti i fagu plant ynddo fo. A fydda ddim rhaid iti boeni am bres na dim. Fe gaen ni fynd am wylia efo'n gilydd i'r haul bob blwyddyn. Mi brynwn i dŷ haf – *villa* – inni ar y cyfandir os mai dyna faset ti isio, neu mi faswn i'n fodlon gneud pwll nofio i'r plant yn yr ardd yn fa'ma, cyn bellad â bod hynny ddim yn golygu aflonyddu ar y grug a'r ardd gerrig. Sut bynnag, mi gaet ti fyw fel brenhines, Katie, yn hytrach nag mewn twlc efo'r mochyn gwallt hir 'na! Dwi'n dy rybuddio di, Kate! Paid ti â *meiddio* rhoi plant i'r anghenfil budur yna! Does dim lle i'w blant *o*, o bawb, yn ein coedan achau *ni*!

Mae meddwl am Mam yn ailbriodi yn rhywbeth arall sy'n codi 'ngwrychyn i hefyd! Damia'i lliw hi!

* * *

'Wela i mohonoch chi am bythefnos rŵan, Mr C.'

'Pythefnos?'

'Wel ia. Mi ddeudis i wrthach chi dro'n ôl, os cofiwch chi, 'mod i'n mynd i aros at fy chwaer yn Stafford . . . ac mi ddeudsoch chitha nad oedd dim angen imi drefnu i gael neb yn fy lle.'

'Ia, iawn, Mrs T.' Oes, mae gen i ryw gof iddi ddeud rwbath rywdro. 'Be wna i efo'r golchi deudwch?'

'*Mr C!*' Mae ei llais wedi magu sŵn dwrdio chwareus ac mae 'na wên amyneddgar, famol bron, yn goleuo'i gwynab hi. '*Mr C!*' medda hi eto, efo pwyslais ar y Mustyr ac mewn tôn sy'n deud wrtha i am drio cofio. 'Rydan ni wedi trafod petha felly hefyd, yn do? . . . Wneith o ddim drwg i'ch dillad budur chi fod yn y fasgiad olchi am ryw wythnos yn fwy nag arfar. Dwi wedi gofalu bod digon o rai glân ar gael ichi, ac *os* byddwch chi'n teimlo fel newid y dillad gwely, wel mi fedrwch neud hynny eich hun, dwi'n siŵr, am y tro. Mi fydda i yn f'ôl bythefnos i fory, beth bynnag. Jyst cofiwch agor ffenast eich llofft bob bora, yn ogystal â'r drysa 'ma i'r ardd, wrth gwrs, er mwyn i'r tŷ gael anadlu.'

A rŵan, mae hi wedi mynd, gan adael i glep y drws farw mewn adlais byr yn y cyntedd. Os gwn i pa mor hir y pery ogla'r *polish* 'ma? Ac am ba hyd fydd y lloria 'ma'n dal i sgleinio? Twt! Dyna ddrwg Mrs T! Mynd dros ben llestri. Hi a'i llnau! Does 'na'm rheswm bod cymaint o sglein ar bob dim. Mi all y lloria pren 'ma fod yn beryg bywyd o dan draed yn y tywydd llaith 'ma. Mi fedrwn i'n hawdd lithro a thorri fy nghoes. Na, mi neith les i'r tŷ ac i minna gael ei gwarad hi am sbel. A deud y gwir, mi fydd yn gyfla da i Kate alw yma rŵan – yn ystod ei hawr ginio falla, fel y bydda hi'n arfar neud ers talwm – heb i drwyn busneslyd Mrs T. fod yn y golwg bob munud. Mi ffonia i'r fflat heno, Katie, i weld be 'di dy wynt di, ac i weld a ydi *o* o gwmpas o hyd.

* * *

Mae gen i dri dewis bora 'ma – aros gartra'n gneud dim, mynd i Hoylake i drio darbwyllo Mam neu fynd am Lerpwl. Fyddai Dr Medway ddim yn argymall y cynta ohonyn nhw – 'Cadw'r meddwl yn brysur, Mr Cairns! Dyna sy'n bwysig' – a does gen inna fawr o awydd yr ail. Waeth imi heb â thrio mynd i'r afael â Mam, oherwydd cha' i mo'r gair ola ganddi hi beth bynnag. Y trydydd amdani, felly! Lerpwl. Ond i be? I chwilio am ba wybodaeth? Wel, dyddiad marw Nain Gwen yn un peth. Fe ddylwn drio darganfod be ddigwyddodd iddi rhwng Chwefror 1915, pan briododd hi Taid Joseph, a 1917 pan briododd hwnnw'i ail wraig, Gladys.

Mae hi'n fora go lew o ran tywydd a dydi'r A41 ddim yn rhy brysur wrth imi nesu am geg y twnnal. Pe bawn i wedi cymryd yr M53, mi allwn fod yn Hoylake erbyn rŵan, yn trio pwnio tipyn o synnwyr i ben Mam. Mae meddwl amdani'n priodi'r Harold 'na yn dân ar fy nghroen i. Diawl erioed! Mae hi'n weddw er 1969! Ac wedi byw ei hun am dros ddeng mlynadd ar hugain. Be gythral sydd wedi dod dros ei phen hi? Mae ganddi hi fynglo bach cyfforddus mewn lle bendigedig, a fydd hi byth yn brin o geiniog neu ddwy oherwydd mi wnes i'n siŵr o hynny flynyddoedd yn ôl. Be uffar arall mae hi isio? Mae'n rhaid mai'r blydi Harold 'na sydd wedi mynd dros 'i phen hi. Mi fasa'n well imi sortio hwnnw na thrio sortio Mam. Ond cyn hynny, mi gysyllta i efo Edith a Marjory yn Aberdeen a Peterborough i weld a fedran nhw ddobio tipyn o synnwyr i'w phen hi.

Mae corn y car tu ôl imi, fel cyllall o sŵn drwy'r twnnal, yn peri imi neidio allan o 'nghroen. Fi, trwy freuddwydio, sydd wedi gadael i'r Merc grwydro dros y llinall wen ac i lwybyr traffig y lôn gyflym. Mae 'nghalon i'n mynd fel trên rŵan wrth imi neud lle iddyn nhw ond dwi'n osgoi ciledrych ar eu gwg nhw wrth iddyn nhw fynd heibio. Mae'n gas gen i brysurdab y ffyrdd y dyddia yma. Dydi gyrwyr yr oes yn gwbod dim am gwrteisi, gwaetha'r modd. 'Pawb drosto'i hun,' dyna'u harwyddair nhw! Gobeithio y bydd 'na le ym maes parcio dan do St John's Hotel. Mae fan'no mor hwylus ac mor ddiogel. Duw a ŵyr be all ddigwydd i gar rhywun mewn amball i faes parcio! Fe all y radio neu'r olwynion gael eu dwyn, neu, yn waeth fyth, y car ei hun. Ond cyn cyrraedd St John's, bydd raid bod am fy mywyd yn dilyn system y strydoedd unffordd gan obeithio na fydd y Merc yn cael tolc gan ryw ddiawl diofal.

Mae'n amhosib, hyd yn oed i mi sydd wedi fy ngeni a'm magu yma, ddychmygu'r lle yn union fel ag yr oedd o ers talwm. Be ŵyr y morgrug bach prysur yma sy'n gwibio fel robotiaid dideimlad o le i le, am y gymdeithas oedd yn arfar bod yma hannar canrif yn ôl? Roedden ni'n dlotach, oeddan, ac roedd Hitler wedi gadael ei ôl yn gythreulig ar James Street a Brunswick a llefydd felly, ond roedden ni beth cythral bodlonach ein byd. Falla bod teuluoedd mawr yn gorfod byw mewn selerydd afiach a falla bod rhai fel Whitey *yn* marw'n ifanc oherwydd y diciâu, a falla bod Mam yn crio yn ei blinder o bryd i'w gilydd a bod Nhad yn cael ei blycia o iseldar dig, ond ar y cyfan, dyddia hapus dwi'n gofio. Ni'r plant oedd bia'r strydoedd bryd hynny, pob un ohonon ni efo'i hanesion arbennig ei hun am ei amsar fel faciwî. I

Ogledd Cymru y cawsom ni, griw Bootle, ein hanfon. Fi ac Edith i ffarm yng nghanol Sir Fôn, ond am mai babi oedd Marjory, yn dal i sugno, mi gafodd hi aros gartra efo Mam. Saith mis y buon ni yn Sir Fôn ac ro'n i wedi dod i ddechra licio ogla ffarm . . .

'Wyt ti'n fyddar 'ta be, mêt?' Mae'r boi wedi dod allan o'i dacsi tu ôl imi – wedi blino canu'i gorn, mae'n debyg, – a mae o rŵan yn sefyll wrth f'ochor, yn cnocio'r ffenast efo cledar un llaw ac yn pwyntio efo'r llall at y gola sydd wedi troi'n wyrdd ers tro heb i mi sylwi. 'Be ddiawl wyt ti'n ddisgwyl? Caniatâd brenhinol?' A barnu oddi wrth y sŵn diamynedd sy'n llenwi'r stryd, nid fo ydi'r unig un sy'n flin efo fi.

Dwi'n llwyddo i gychwyn jyst fel mae'r gola'n troi'n oren unwaith eto a'r cwbwl sydd i'w weld yn y drych ydi goleuada'r tacsi a sawl car llonydd arall tu ôl iddo yn fflachio'n gandryll. O wel! Cyn bellad â bod lle i'r car yn St John's, mi fydd pob dim yn iawn.

O gymryd y drws sy'n arwain o'r lle parcio dan-do i lawr i Roe Street, does raid imi rŵan ond croesi'r ffordd a cherddad heibio ffrynt St George's Hall i gyrraedd William Brown Street lle mae'r llyfrgell. Mae fan'no'n brysurach nag arfar a rhaid aros rhai munuda am lifft i fynd â fi i fyny i'r *Records Office* ar y trydydd llawr.

'Fedra i'ch helpu chi?'

Hogan wengar, tua deg ar hugain oed ac efo pâr nid bach o fronna, a'r rheini'n protestio yn erbyn caethiwed y jympyr dynn, sy'n cynnig yr help. Mae'r llanc plorynnog yn brysur efo rhywun arall, a dwi'n falch o hynny.

'Fedra i gael defnyddio peiriant meicroffilm?'

Mae'r wên yn diflannu a mingam o gydymdeimlad yn cymryd ei lle. 'Mae'n wir ddrwg gen i ond mae pob un wedi'i gymryd bora 'ma. Fe ddylech chi fod wedi bwcio ymlaen llaw . . . '

Damia unwaith!

' . . . Pa fath o ymchwil oeddech chi am ei neud?'

'Weeel!' Doeddwn i ddim yn siŵr iawn. 'Wedi meddwl cael dipyn o fanylion am fy nain . . . Pryd y buodd hi farw a phetha felly.'

'Y cofrestri genedigaetha a marwolaetha 'dach chi isio felly. Oes gynnoch chi syniad pa flwyddyn?'

Mae meddwl am graffu dros dudalen ar ôl tudalen o lawysgrifen aneglur yn fwy nag y medra i ei stumogi. Yna, mwya sydyn, mae syniad yn dod imi, fel fflach o weledigaeth. 'Oes gynnoch chi ryw wybodaeth am y *Mersey Docks Strangler*?'

'Y llofrudd yn nechra'r ganrif? Oes. Cryn dipyn a deud y gwir.' A chyda hynny o eglurhad mae hi wedi mynd a 'ngadael i, heb ddeud ai mynd i nôl gwybodaeth i mi y mae hi ynte ar ryw berwyl arall.

Fel yr â'r munuda heibio, dwi'n dal i sefyll fel llo wrth y ddesg, mewn cyfyng-gyngor be i neud. Mae'r llanc plorynnog wedi dechra fy llygadu fi, fel pe bai am ddod draw i gynnig ei help ei hun ond dwi'n osgoi ei lygad. Fy mai i ydi hyn i gyd! Matar bach fasa bod wedi ffonio ymlaen llaw ynglŷn â'r peiriant meicroffilm, ond waeth imi heb â difaru rŵan, mor hwyr â hyn yn y dydd. Be 'di'r dywediad? Codi pais ar ôl piso!

'Dyma chi!' Mae hi wedi dod 'nôl o gyfeiriad arall ac yn sefyll wrth f'ysgwydd cyn imi ei gweld. 'Dyma ichi lyfr a gafodd ei sgwennu gan y ditectif oedd yn ymdrin ag achos y *Docks Strangler*, a dyma ichi lyfr sgrap – toriada o bapura newydd yn benna – a gafodd ei gasglu gan rywun oedd yn byw yn y cyfnod hwnnw. Yn ddiweddar y cafodd hwn ei gyflwyno inni, a deud y gwir. Rhyw berthynas wedi dod ar ei draws yn atig ei dŷ ac yn meddwl y basa fo o ddiddordab i ni yn fan'ma. Os byddwch chi cystal â llenwi'r ffurflenni pwrpasol i ddangos eich bod yn gneud defnydd ohonyn nhw.'

Diawl! Dyma fwy nag roeddwn i wedi gobeithio amdano.

Y llyfr sgrap gaiff y sylw cynta am ei bod yn haws gwibio trwy hwnnw. Mae'r cwbwl yma, yn ddestlus ac mewn trefn.

Alice Grey – pytia ac erthygla o'r *Daily Post* a'r *Liverpool Mercury* yr ydw i wedi eu gweld eisoes ar y *microfiche*. Toriada o'r *Liverpool Echo* hefyd, sy'n ddiarth imi. Ond yr un wybodaeth, fwy neu lai, ag yn y ddau bapur arall. Yr achos wedi hawlio cyfanswm o chwe thudalen yn y llyfr sgrap.

Joan Gleese – Saith tudalen a hannar o doriada. Yma eto'r adroddiada rydw i'n gyfarwydd â nhw, ynghyd â thoriada o'r *Echo*. Llun ei dau blentyn yn y papur min-nos hwnnw – merch deirblwydd a mab oedd ddim eto'n flwydd.

Eileen McGough – A! Llun y steshon a'r seidins yn Bootle, efo cefna Stryd Nelson yn y cefndir a chroes wedi'i hychwanegu mewn inc gwyn i nodi cartra'r ferch a laddwyd. Mae'n rhyfedd gen i feddwl y bydden ni'n dod i'r union le yma i chwara ar amball fin nos. Pum tudalen o doriada ond dim byd arbennig o newydd imi.

Sinead O'Leary! – Dwn i ddim byd am hon! *DOCK STRANGLER'S FOURTH VICTIM.* Yr un pennawd yn y tri phapur. A'r un manylion fwy neu lai. Sinead O'Leary, deunaw oed, morwyn yn nhŷ prifathro'r Ysgol Dechnegol ar Balliol Road. (Fe wn i lle'r oedd honno hefyd!) Drosodd o County Clare, Iwerddon, ers llai na mis. Ei chorff gwaedlyd wedi'i ddarganfod o dan Millers Bridge (y bont lein yng ngwaelod ein stryd ni!) a rhyw dri chanllath o ble y doed o hyd i Eileen McGough. Wedi ei churo, ei threisio ac yna'i thagu yn yr un dull â'r lleill. Ei chorff wedi'i ddarganfod bnawn dydd Mercher 25ain Ebrill a'r achos yma eto, fel y tri arall wedi hawlio sylw'r wasg am bedwar neu bum niwrnod. Yn rhyfadd iawn, o styried ei bod hi wedi ei lladd mor agos at fy nghhartra i, mae enw hon yn ddiarth hollol imi.

Carol Fay Dunes! – Uffar dân! Un arall? Dydi lladd rhywun ddim mor anodd â fasa rhywun yn tybio! Cael gwarad â'r corff ydi'r broblem. *BODY OF FIFTH VICTIM FOUND IN OPEN BOAT* meddai tudalen flaen y *Mercury*, Mehefin 16eg. Nyrs 28 oed, yn gweithio mewn sbyty bach ar gongol Stanley Road ac Easby Road. O Runcorn yn wreiddiol, ond yn lojio yn Priam Street, ar y ffin rhwng Bootle a Kirkdale (ac, fel y gwn i'n iawn, o fewn rhyw bum stryd i Braemar Street a chartra Alice Grey, sef y gynta i gael ei lladd). Llond pedair tudalen o doriada am yr achos yma eto yn y llyfr sgrap ond does gen i fawr o amynadd mynd ar ôl y manylion. Y corff gwaedlyd wedi'i ddarganfod mewn cwch oedd ar ganol cael ei drwsio, mewn iard gychod fechan yn ymyl Canada Dock.

Rhaid mai Carol Fay Dunes oedd cwsmer ola'r *Strangler*. Dim ond un toriad arall oedd yn y llyfr, a hwnnw wedi'i osod ar du mewn y clawr ôl. *Mersey Dock Strangler Investigations Fizzle Out* meddai'r is-bennawd, efo *Daily Post 12th September 1915* wedi'i sgrifennu mewn inc du ar ymyl y ddalen.

Detective Inspector John Davey, the Scotland Yard man in charge of the Mersey Dock Strangler investigation, finally admitted yesterday that they are no nearer to solving the mystery surrounding the gruesome deaths of the five victims on Merseyside. He rejected suggestions that the murderer was a lunatic, on the grounds that the crimes had been too well planned and orchestrated, but the detective did concede that the Strangler could be suffering from a split personality. The killer is definitely thought to be a local man, one who might very well be regarded as a respectable and respected member of the community. Detective Inspector Davey said that he would not be issuing any further statements unless new evidence turns up. He wished to allay public fears, however, by stating that police investigations will continue until such time as the killer is caught and condemned to the gallows.

Ac i feddwl mai'r hen ddewyrth Andrew Cairns oedd y cynta i gael ei ama. Ac i feddwl bod y truan hwnnw wedi gorfod mynd i'w fedd, yr holl flynyddoedd yn ddiweddarach, ac ymhell iawn o gartra, yn credu bod heddlu Lerpwl yn dal i'w erlid am ladd Alice Grey. Fe gafodd gam, yn reit siŵr, na fasa un o'i deulu wedi cysylltu efo fo rywsut neu'i gilydd, i roi iddo dawelwch meddwl. Ond wedi deud hynny, does bosib bod yr hen foi yn gwbwl ddiniwad chwaith. Fe wydda fo rwbath, yn reit siŵr. Roedd Gorffennaf 6ed 1918 yn ei ddyddiadur – y cofnod ola un – yn profi hynny: 'Er fy mod wedi fy nghlymu gan addewid a llwgrdâl y Casglwr, fe fynnaf, ryw ddydd, ddatgelu'r cyfan a rhoi'r allwedd i ddatrys pob dirgelwch.' Ac roedd awgrym arall o'r un dirgelwch i'w gael ganddo bedair blynedd ynghynt o dan Rhagfyr 27ain 1914: 'Beth bynnag a ddywed y *Post* a'r *Mercury*, nid ar fy nwylo i y mae ei gwaed hi. Nid fi a'i lladdodd hi, ac fe ŵyr y Casglwr Trethi hynny cystal â neb! Ond cytundeb yw cytundeb.' Pa blydi cytundab? Be oedd yr addewid wnaeth o? Ac i bwy? A phwy uffar oedd y Casglwr Trethi? Mae'r busnas yn dechra mynd ar fy nerfa i.

'The Mersey Docks Strangler Mysteries' by Detective Superintendent John Davey, Scotland Yard, sydd ar glawr calad y llyfr. Clawr cochddu a'r llythrennu mewn llwydwyn a fu unwaith, dybia i, yn felyn. Tri chant a naw deg o dudalenna i gyd, a phob tudalen yn llethol o brint llwyd mewn paragraffa maith a llinella agos at ei gilydd. 1927 ydi dyddiad cyhoeddi'r gyfrol.

Gan na chaf fynd â'r llyfr allan o'r llyfrgell, yna does dim gobaith o fedru'i ddarllan o i gyd. Nid bod gen i awydd gneud hynny beth bynnag. Ond mae gen i ddiddordab, wrth reswm, yn yr ymchwiliada cynnar i lofruddiaeth Alice Grey.

Mewn Rhagymadrodd byr mae'r awdur yn cyfeirio at gymhlethdod achos y *Mersey Docks Strangler*, ac at y rheidrwydd a deimlodd ef ei hun, fel y ditectif a fu'n gyfrifol am yr ymchwiliad, i sgwennu'r gyfrol gyntad ag iddo ymddeol yn 1926. Nid un dirgelwch y bu'n rhaid iddo drio'i ddatrys, yn ei farn ef, ond amryw. Y prif ddirgelwch, wrth gwrs, oedd y llofrudd ei hun. Pwy oedd o? Rhywun lleol; rhywun oedd yn gyfarwydd iawn ag ardaloedd Bootle a Kirkdale; wedi'i eni a'i fagu yno yn fwy na thebyg; rhywun efo hollt enfawr yn ei bersonoliaeth – sgitsoffrenig peryglus dros ben. Dirgelwch arall oedd y diffyg tystion. Doedd neb wedi gweld nac wedi clywad dim ar yr un o'r nosweithia y lladdwyd y pum merch. Y trydydd cwestiwn a boenai'r awdur oedd pam na ddaeth neb o deulu'r llofrudd at yr heddlu efo amheuon neu dystiolaeth. Doedd bosib iddo fedru lladd pump o bobol, o fewn cyfnod o wyth mis, heb i ryw aelod neu'i gilydd o'i deulu ama rhywbeth, yn enwedig yn achos Carol Fay Dunes, oherwydd mi fyddai rhywfaint o waed honno yn sicir o fod wedi tasgu dros ddillad y llofrudd. Ac os oedd aeloda'r teulu wedi ama, a dewis deud dim, yna roedden nhw'n anghyfrifol hollol, yn droseddwyr eu hunain ac yn haeddu cael eu dwyn gerbron y llys a derbyn cosb drom. Yr unig eglurhad arall y gallai'r awdur ei gynnig ar y pwynt hwn oedd mai dyn yn byw ar ei ben ei hun oedd y llofrudd, heb unrhyw gyswllt teuluol. Ond fedrai rhywun felly, chwaith, ddim byw fel meudwy llwyr heb ennyn amheuon ei gymdogion. Dirgelwch arall oedd 'diflaniad' y llofrudd ar ôl Mehefin 1915. Carol Fay Dunes oedd ei ysglyfaeth olaf. Oedd o wedi gadael Lerpwl wedyn am ryw ardal arall? Neu a oedd o wedi dioddef gwaeledd neu ddamwain go ddifrifol ei hun? Neu wedi marw hyd yn oed! Fe wnaed ymholiada manwl iawn i bob posibilrwydd o'r fath, meddai'r awdur, ac roedd y manylion hynny i'w cael ym mhennod 12. ' . . . Ond, ac eithrio dirgelwch y llofrudd ei hun, y dirgelwch arall a barodd ddryswch i mi yw'r un a drafodir yn ail bennod fy llyfr – sef yr amheuon cynnar ynglŷn ag Andrew Cairns, y gŵr a ddihangodd i'r

Amerig yn fuan wedi i Alice Grey gael ei lladd ac na chlywyd gair yn ei gylch byth wedyn.'

Mae'r Rhagymadrodd yn gorffen fel hyn: 'Mae un mlynedd ar ddeg wedi mynd heibio ers darganfod corff Carol Fay Dunes, ysglyfaeth olaf y Mersey Docks Strangler, ac rwyf innau wedi ymddeol erbyn hyn. Eto i gyd, rwy'n dal i bendroni yn fy ngwely'r nos ynglŷn â'r holl achos ac fe af i'm bedd, mi wn, yn gofidio am fy methiant i ddwyn y llofrudd i gyfraith. Cofnod yw'r llyfr hwn o'n hymdrechion ni yn Scotland Yard, ar y cyd efo'r heddlu lleol yn Lerpwl, i ddatrys yr achos dyrys hwn ac i fynd â'r Mersey Docks Strangler i'r crocbren, a loes calon imi hyd y dydd heddiw yw inni fethu gwneuthur hynny. Dyna paham y lluniwyd y gyfrol hon, sef i osod gerbron y darllenydd holl fanylion ein hymchwiliad. Rhagwelaf y bydd y llofrudd ei hun yn darllen fy ngwaith, ac yn gwenu'n hunanfodlon am iddo osgoi ei gosb haeddiannol. Neu hwyrach iddo eisoes adael y fuchedd hon, a hynny heb deimlo rhaff cyfiawnder yn gwasgu am ei wddf. Un sicrwydd sydd gennym, sef yw hwn – Er i'r llofrudd llwfr ddianc rhag cyfraith Dyn, ni all fyth fyth osgoi cyfraith a dial Duw, na thân ysol Uffern.'

Hm! *Charming*! Ffordd hawdd ar y diawl o dawelu'i gydwybod a'i fethiant. Mi fedra fo fentro talu teyrnged i'r *Strangler*, oherwydd roedd hwnnw wedi bod yn dipyn o foi i fedru lladd pump o ferched o dan drwyna pawb a heb adael trywydd o fath yn y byd. Tipyn o foi hefyd i gael y gora ar yr enwog Scotland Yard.

Rhyw fras ddarllan y bennod gynta dwi'n neud, a dydi hynny ddim yn hawdd o styried arddull orgymalog a iaith hen ffasiwn yr awdur. Mae'n rhagymadroddi cryn dipyn yn fan'ma hefyd a does dim sôn am ddarganfod corff Alice Grey tan yr wythfed dudalen. Mae manylion y drosedd i'w cael yma i gyd. Rhyfadd bod ganddo'r hawl! Rhyfadd bod ganddo'r hyfdra! Roddodd o fawr o styriaeth i deimlada'r teulu!

'Pan gyrhaeddodd y llythyr, mi feddyliais yn siŵr na fyddem fawr o dro yn datrys y llofruddiaeth . . . ' Dyna sut y mae'n cychwyn yr ail bennod. ' . . . Roedd pwy bynnag a'i hanfonodd yn awyddus i'n harwain yn syth at ŵr o'r enw Andrew Cairns, a drigai ar y pryd efo'i rieni, ac eraill o'i deulu, yn 3 St Agnes Road, Kirkdale. Yr wyf yn ei alw'n 'llythyr' ond nid oedd, mewn gwironedd, namyn nodyn byr mewn llythrennau bras a blêr – 'LLOFRUDD ALICE GREY YW ANDREW CAIRNS, KIRKDALE. BRYSIWCH'. Cyraeddasai gyda'r post ar fore Tachwedd 27ain ond erbyn i ni wneuthur ein hymchwiliadau a dod i wybod ym mha le yr oedd y dywededig Andrew Cairns yn byw, yr oedd eisoes yn rhy hwyr. Gadawsai ar fwrdd llong o'r enw *Anglesey Queen* ers y nawfed o'r mis hwnnw a glaniasai yn Baltimore ddeunaw niwrnod yn ddiweddarach, a phum niwrnod cyn i ni dderbyn y rhybudd yn ei gylch. Er inni geisio, a derbyn, cymorth y Federal Bureau of Investigation, ni lwyddwyd i ddod o hyd i Andrew Cairns. Ni chafwyd byth wybod pwy a anfonodd y nodyn hwnnw ond ar Ionawr 21ain gwelwyd mai camarweiniol oedd ei gynnwys oherwydd dyna pryd y darganfuwyd corff y wraig Joan Gleese. Nid oedd bosib, felly, mai Andrew Cairns oedd y Mersey Dock Strangler (Y Wasg, wrth gwrs, a roddodd iddo'r enw hwnnw), oni bai fod dau ohonynt, ond teimlem mai pur annhebygol oedd hynny. Dirgelwch hyd y dydd heddiw yw enw'r sawl a bwyntiodd fys at Andrew Cairns. Hwyrach mai rhywun â'i fryd ar gynorthwyo'r heddlu ydoedd, neu efallai mai ei fwriad oedd ein camarwain er mwyn tynnu'r sylw oddi wrth y gwir lofrudd. Dyna gwestiwn na chaiff ei ateb byth, oni bai y bydd cydwybod yn pigo'r euog ddyn ar ei wely angau . . . '

Âi ymlaen i roi manylion yr ymholiada am Andrew Cairns ac fel roedd un arall o deulu 3 St Agnes Road, Kirkdale, sef Joseph y mab iau, hefyd wedi bod o dan amheuaeth am gyfnod byr. Nodyn dichellgar, sibrydion gwerin straegar a dylanwad y Wasg, yn fwy nag ymholiada'r heddlu, a gâi'r bai ganddo am ddod â 'gwarth a gofid ar deulu siopwr parchus . . . ' Cyfeiriad yn fan'na, dwi'n siŵr, at y llun yn y *Daily Post* ddaru sbarduno criw o lancia gwyllt i bledu ffenestri'r tŷ yn St Agnes Road efo cerrig. Hy! Roedd hi'n ddigon hawdd i'r diawl fod yn hunangyfiawn wrth edrych yn ôl!

'... A phwy a all fesur y straen a deimlodd y teulu hwn yn y misoedd i ddilyn, hyd yn oed wedi iddi ddod yn amlwg nad oedd a wnelo Andrew Cairns, na'r un arall ohonynt, yr un dim â marwolaeth Alice Grey. Er iddo briodi ymhen ychydig wythnosau i'r digwyddiad, a symud i ran arall o Bootle i fyw, ymddengys mai angharedig fu Ffawd wrth Joseph Cairns . . . ' Roedd y frawddeg wedi'i chynnwys fel rhyw atodiad gan un oedd yn edrych yn ôl ar y cyfan. ' . . . Ganwyd iddynt fab ond bu mam y plentyn farw ar ei enedigaeth. Parodd hynny fwy o siarad, gyda rhai pobl anystyriol yn awgrymu ar goedd mai Joseph Cairns ei hun a achosodd ei farwolaeth. Ond sibrydion maleisus oeddynt, fel yr awgrymwyd gan y Crwner yn y cwest ac fel y profwyd yn yr achos llys yn erbyn y fydwraig, Gloria Thompson . . . '

Dwi'n teimlo'n syn. Dyma'r wybodaeth roeddwn wedi gobeithio'i chael o'r cychwyn. Roedd Nain Gwen wedi marw ar Ebrill 6ed 1915, neu'n fuan wedi hynny, oherwydd dyna ddyddiad geni Nhad. Yr hyn sy'n anhygoel ydi bod y teulu wedi celu oddi wrth Nhad pwy oedd ei fam iawn o, ac wedi gadael iddo gredu ar hyd ei oes mai'r Gladys 'na oedd hi. Y diawliaid! Pam fasan nhw'n gneud y fath beth? O leia mae hyn yn egluro agwedd annifyr Gladys ato fo ac aton ni'r plant. Ac mae o'n egluro pam y gadawyd Nhad allan o'r ewyllys. Ond rhaid mai rhyw gachgi di-asgwrn-cefn oedd Taid Joseph i adael i'w ail wraig drin ei fab, ei blentyn ei hun, fel'na. A phwy ŵyr nad rhyw ddial gwirion felly hefyd oedd y rheswm dros beidio rhoi enw beiblaidd i Nhad, fel gweddill y teulu. Ond diolch i Dduw am hynny ddeuda i, neu falla mai Joseph neu Mathew neu Nebuchodonosor fasa f'enw inna heddiw!

Dydw i ddim yn meddwl fod gan y llyfrgell fwy i'w gynnig imi, felly waeth imi'i throi hi am adra ddim.

* * *

Hydref 11eg: Mae heddiw wedi hedfan, a dwi'n teimlo'n well ynof fi fy hun! Diwrnod da. Wedi medru llenwi bwlch neu ddau arall yn hanes fy nheulu; ychwanegu ambell frigyn – neu wreiddyn – dibynnu sut mae rhywun yn edrych arni. Mae'r goeden mor llawn rŵan ag ydw i isio iddi fod. Ces ddatrys dirgelwch arall efo'r wybodaeth am farwolaeth Nain Gwen ond mae'n beryg na chaf byth wybod cyfrinach yr hen ddewyrth Andrew Cairns, na be oedd ei gysylltiad efo'r Mersey Docks Strangler, ond mi ddarllenaf eto trwy'i ddyddiaduron, rhag ofn 'mod i wedi colli rhywbeth o bwys ynddyn nhw.

Rhaid codi fy het i Dr Medway! Roedd o'n iawn ynglŷn â'r therapi! Rhaid cofio sôn am heddiw wrth Katie hefyd. Bydd ganddi ddiddordeb dwi'n siŵr.

* * *

Am ddiawl o ddiwrnod! Yn gynta, mae hi'n chwythu corwynt oer ac yn pistyllio glaw. Yn ail, fe welodd Kate fi'n eistedd yn y car yn ei gwylio'n cychwyn am ei gwaith ac yn hytrach na chodi llaw glên a gwenu, fe gododd ddau fys milain. Yn drydydd, fe ffoniodd Mam.

Mae'r tywydd wedi bod wrthi ers canol nos. Hen sŵn torcalonnus ydi cwyn gwynt ym mriga coed. Pan oedd Kevin yn fach mi fydda fo'n cael ei ddychryn o'i gwsg ar noson fel neithiwr ac yn ei wthio'i hun i'r gwely rhwng

Constance a finna, ac mi fydden ni'n tri yn swatio'n braf yng ngwres ein gilydd. Rheini oedd y dyddia braf, a neithiwr, roedd gen i hiraeth mawr amdanyn nhw. Ganol nos, fe fûm yn trio cofio be ddigwyddodd i yrru'r bywyd hwnnw oddi ar ei echel. Constance yn un peth! Rhefru bob munud 'mod i'n hel fy nhin efo rhai o'r genod oedd yn gweithio imi yn *Atlantic Lines*. Gneud diawl o helynt, jyst am fod un hen bits fach wenwynllyd wedi creu stŵr. Isio dyn oedd honno, siŵr dduw, ac yn filain 'mod i'n rhoi llai o sylw iddi *hi* nag i'r lleill.

Ond be wnaeth Constance, pan glywodd hi? Gorymatab, wrth gwrs! Troi petha o chwith. *What's good for the gander is good for the goose!* Sawl gwaith y taflodd hi'r geiria gwirion yna ata i wedyn, wrth gyrraedd adra'n hwyr y nos? Fe wyddwn ei bod hi'n hel dynion ond fedrwn i brofi dim, ddim nes iddi ddechra cario Karl. Nid fi oedd tad y bastad bach hwnnw. Fe wyddwn i hynny i sicrwydd. Fe wyddai hitha. Ac fe wyddai amal i un arall hefyd, mae'n siŵr. Roedd jyst meddwl ei bod hi wedi gneud cwcwallt ohono' i yn fy ngyrru fi'n gandryll ac mi allwn i'n hawdd fod wedi lladd yr hwran bryd hynny. Ond dal i gyd-fyw ar wahân wnaethon ni – o dan yr un to, yn rhannu'r un bwrdd bwyd ond nid yr un gwely na'r un cysuron. Dwn i ddim pam y dylai gwely gwag neithiwr a sŵn trist y tywydd fod wedi creu anniddigrwydd am y dyddia a fu.

Dydi Kate ddim mor wahanol â hynny i Constance. Dydi fawr o bwys gan y bits honno, chwaith, am fy nheimlada i. Mae'n bosib mai'r tywydd oedd yn ei gneud hi'n ddi-hwyl bora 'ma, neu'r ffaith ei bod hi'n gwbod ei fod *o* yn gwylio o ffenast y fflat. Ia! Dyna oedd y drwg, mae'n siŵr – Fo! Ond dydi tywydd gwael na phresenoldeb hwrgi ddim yn cyfiawnhau codi dau fys mor bowld arna i. Hyd yn oed os oes gen ti gyn lleiad o hunan-barch, Kate, a dy fod ti am dy ddiraddio dy hun i lefal hwran, chei di mo fy mychanu fi fel'na yn ei ŵydd o! Wna i ddim diodda peth felly, iti gael dallt.

Da neu ddrwg, mae petha'n digwydd fesul tri, meddan nhw. Y tywydd . . . Kate . . . a Mam!

'Robert! Dwi wedi bod yn trio cael gafal arnat ti ers ben bora!'

Newydd ddychwelyd i'r tŷ roeddwn i, a dau fys herfeiddiol Kate yn dal i losgi yn fy meddwl. Os oedd Mam am ddechra blydi edliw . . . ! 'Be sy?'

'Be sy? Ar ôl ein sgwrs ddwytha ni, ai dyna'r cwbwl fedri di'i ofyn? . . . '

Roedd rhyw fywiogrwydd ifanc yn ogystal â sŵn dannod a cherydd yn ei llais ond roeddwn yn benderfynol na chawn fy nhynnu i ddadla efo hi.

' . . . Wel? Wyt ti'n dal yna?'

'Ydw. Be sgynnoch chi i'w ddeud?'

'Hannar awr wedi deg, fora dydd Mawrth, bythefnos i rŵan. Y nawfad o Dachwedd.' Synhwyrwn fod rhywfaint o'r asbri wedi cilio a bod sŵn mwy pwdlyd wedi cymryd ei le.

'Be amdano fo?'

'Swyddfa'r Cofrestrydd, yma yn Hoylake. Fi a Harold! Fyddi di yno?'

Uffar dân! 'Ddaru Edith a Marjory mo'ch ffonio chi?'

'I drio fy narbwyllo? Am dy fod ti wedi gofyn iddyn nhw neud? . . . Do.'

'Wel?'

'Wel be?'

'Ddaru chi ddim gwrando ar be oedd ganddyn nhw i'w ddeud?'

'Do.'

'A . . . ?'

'Ac fe gawson nhwtha, hefyd, wrando ar be oedd gen *inna* i'w ddeud.'

Roeddwn yn nabod y dôn fuddugoliaethus, ond rhaid oedd gofyn y cwestiwn: 'A be ddigwyddodd?'

'Ddigwyddodd dim.'

Na, châi hi mo'r plesar o 'nghlywad i'n holi mwy. Fel pe bai angan holi!

' . . . Mi ddeudis i wrthyn nhw 'mod i wedi penderfynu priodi Harold. A pham. Roedd Edith yn dallt yn syth, wrth gwrs, ac mi ddalltodd Marjory hefyd ymhen sbel. Ond fyddan nhw ddim yn y briodas. Gormod o daith, wrth reswm, o Aberdeen ac o Peterborough. Ond be amdanat ti? Rwyt ti'n byw yn ddigon agos.'

'Go brin.'

Yn yr eiliad honno, cefais gip ohoni unwaith eto yn ei ffedog fras yng nghwt golchi cyfyng cefn y tŷ yn Canal Street, ei gwallt tywyll yn glynu'n wlyb i'r chwys ar ei thalcan wrth iddi blygu i godi'r dillad allan o ddŵr a stêm myglyd y twb golchi. Gwelwn ei breichia cyhyrog yn rhoi tro cry i ddilledyn ar ôl dilledyn, nes bod eu trymder yn diferu ohonyn nhw. Yna'r mangl mawr yn troi'n ufudd i'r dwrn migyrnog a wasgai ei handlan gron. A gwelwn Nhad yn mynd trwy'i gylcha yn y tŷ, yn tywallt cynnwys plât ei ginio rhad i'r tân, am mai dyna'i dymer ar y pryd . . . Yn codi bagal i fygwth Mam am iddi feiddio'i groesi mewn gair neu weithred . . . Yn dorch pwdlyd yn ei wely am ddyddia bwy'i gilydd am iddo gael ei eni i fyd mor annheg . . . Petha oedd yn perthyn i oes ac i genhedlaeth arall.

' . . . Ond fe ga i weld . . . Mam.' Yna, yr eiliad wan yng ngwres annisgwyl fy nghydymdeimlad, 'Mae'n siŵr y do i.'

'Gwna fel lici di!'

Daeth clec y ffôn yn ei grud ac yna'i rwndi mud â'm hanfodlonrwydd inna'n ôl. Mam yn gneud ffŵl ohoni'i hun . . . Kate yn gneud ffŵl ohonof i . . . Y tywydd yn gneud carcharor o bawb. Ia, diawl o ddiwrnod.

* * *

121

Mae'r amsar yn llusgo yr adag yma o'r flwyddyn. Dyma fo'r mis tywyll! A mae o'n ddigon i godi'r felan ar unrhyw un. Mae'r awr wedi ei throi ers wythnos ac mae pedwar o'r gloch y pnawn i'w weld yn adag hwyr o'r dydd. Ond mae'r mis du eto i ddod!

Fe'i ffoniais i hi o giosg bora 'ma. Dim atab, heblaw'r blydi peiriant 'na, wrth gwrs! Mi es allan drwy'r tywydd wedyn amsar cinio. Dim atab eto. Tri o'r gloch . . . pedwar o'r gloch . . . hannar awr wedi chwech . . . Dim atab. Dwi'n gwbod ei bod hi'n ddydd Sadwrn, ond lle uffar *mae* hi? . . . Lle maen *nhw*?

Mae hi'n chwartar i ddeg y nos a dwi eto mewn ciosg, y tro yma lle mae Vicar's Lane ac Union Street yn cwarfod ac yn cydredag efo Grosvenor Park. Chydig iawn o geir sydd i'w gweld yn y niwl tu allan, ac yn y pelltar mae coed llwyd y parc yn llechu fel ysbrydion oer. Oes, mae isio sbio 'mhen i!

' . . . Gadewch eich neges ar ôl y tôn.' Rhaid imi gael deud rwbath y tro yma, ond dydw i ddim am roi lle i'r blydi ditectif 'na ddod 'nôl i 'ngweld i chwaith. Felly, gneud fel maen nhw'n gneud yn Holywood – gosod hancas bocad rhwng y llais a'r derbynydd, a hisian 'Bits! Hwran! Bits!' yn fygythiol trwy 'nannadd cyn rhoi'r teclyn yn ei ôl efo clec filain. Hy! Siawns y cadwith hyn'na hi'n effro am sbel! Ac mi dawelith rywfaint ar fy nghynddaredd inna. Cheith y bits mo f'anwybyddu fi fel mae hi wedi bod yn ei neud. Cheith hi, na neb arall, ddim gneud pric pwdin o Robert Meredith Cairns. Fe geith hi ddysgu'i gwers! Ond sut?

. . . Yet I'll not shed her blood;
Nor scar that whiter skin of hers than snow,
And smooth as monumental alabaster . . .

Fel roeddwn i'n ddeud, mi *faswn* i wedi gneud gwell Othello na Iago!

122

. . . Yet she must die, else she'll betray more men . . .

Ond be wnawn i hebddot ti, Kate? Be wnawn i heb yr atgofion melys am yr hyn a fu?

. . . When I have pluck'd thy rose,
I cannot give it vital growth again.

Na, nid atab Othello fydd fy atab i.

'Uffar o gar *posh*!'

O lle ddiawl ddaeth rhain? Mae 'na . . . faint? . . . saith ohonyn nhw'n sefyll o gwmpas y Merc. Yn ôl eu golwg, maen nhw o dan ddylanwad diod neu gyffuria neu rwbath. Mae un wedi mynd i ista ar y bŵt, efo'i benglinia at ei ên . . . a'i sodla'n crafu'r paent! Blydi hel!

'Hei! Be uffar 'dach chi'n neud?' Dwi wedi gweiddi cyn styried.

'Hei, *gang*! *Hwn* bia fo!' Ac mae saith pâr o lygada gloyw yn troi i sbio arna i. Maen nhw i gyd wedi'u gwisgo'n flêr ac yn od. Trowsus bob-lliw gan un, fel pe bai o'n glown mewn syrcas . . . jîns tyllog . . . trowsusa jogio . . . penna wedi'u siafio'n lân . . . cap-tu-ôl-ymlaen gan un, cap gwlân dros 'i glustia gan un arall . . . a'r un ohonyn nhw efo côt, er mor oer a gwlyb ydi hi.

'Ym!' Dwi'n edrych o 'nghwmpas ond yn gweld neb. Dim plismon ar gael pan mae angan un, byth. 'Ym! . . . Ofn ichi sgratsio'r paent oeddwn i, hogia. Ym! . . . Nid fi bia'r car 'dach chi'n gweld. Wedi cael ei fenthyg o ydw i.'

'O! Glywsoch chi hogia?' Boi y cap gwlân oedd yn gwamalu. 'Nid fo bia'r car! Ac mae ganddo fo ofn cael sgrats arno fo!'

Mae ganddo fo gyllall yn ei law sydd wedi ymddangos yn wyrthiol o rwla a mae o rŵan yn bygwth ei defnyddio hi ar baent y Merc.

'Ym! . . . Mynd am beint oeddach chi, hogia?' Anodd ar y

123

diawl ydi swnio'n glên tra mae 'nghalon i'n dyrnu fel mae hi. Dwi wedi tynnu papur decpunt o'm walat ac yn ei gynnig o efo llaw grynedig i'r Cap Gwlân, gan mai fo ydi'r arweinydd faswn i'n ddeud, a chan mai ganddo fo y mae'r gyllall. 'Cymrwch beint arna i.'

Mae o'n sbio'n hir ar y papur, ond yn deud dim. 'Hei, hogia!' medda fo o'r diwadd, mewn llais gwamal. 'Oes 'na un ohonoch chi'n gwbod lle y cawn ni saith beint am tenar?'

Dwi'n casglu, o'u chwerthin nhw, fod cwrw'n ddrutach nag roeddwn i wedi'i feddwl, a dwi'n estyn decpunt arall, gan deimlo'n uffernol o flin efo fi'n hun ac efo pob plismon diflanedig.

Erbyn rŵan, mae o wedi gosod blaen y gyllall i bwyso ar fonat y Merc ac yn ei chynnal hi yno efo un bys ar dop y carn. Mae'r symudiad, dwi'n sylwi, yn ddigon i'r dagra glaw ar y paent redag i'w gilydd a llifo'n ffrydia cyflym dros y sglein du. Dwi'n cael fy llygad-dynnu gan y gyllall a'r dŵr, a chan yr argraff fod y car yn crio mewn ofn. Fi ydi'r car, y car ydi fi.

'Mae o'n mynd i brynu *un* peint inni hogia! A *falla* . . . *falla* y bydd 'na ddigon dros ben inni gael *un* pacad o grisps bob un!' Mae o'n gwbod be 'di gwerth pwyslais!

'Does gynno fo ddim llawar o feddwl o'i gar, mae'n rhaid, Jed.' Y clown yn y trowsus-bob-lliw bia'r geiria.

Jed? Am uffar o enw! Ond rhaid ei barchu. Sut bynnag, mae o wedi cael cip ar y pres sydd gen i yn fy walat. 'Dyma'r cwbwl sydd gen i. Cymrwch o.' Dwi'n gwbod fod yno o leia hannar canpunt.

'Hei! Boi ffeind, hogia! Os gwelwn ni slobs rhaid inni gofio deud wrthyn nhw am garedigrwydd y dyn yma.' Ac wrth adael, maen nhw'n codi llaw o un i un, fel pe baen ni'n hen ffrindia, ac yn gwahanu felly.

Be ddiawl wnaeth imi godi o 'ngwely bora 'ma?

* * *

Rhwng pob dim, rhyw ddwyawr ar y mwya o gwsg ges i. Mi fûm i'n troi a throsi ac yn hel meddylia am hydoedd yn y tywyllwch, yn meddwl am Kate yn benna, ac yn ei gweld hi'n gneud cythral o dro sâl efo fi. Teimlo'i bod hi rŵan, ar ôl yr holl dwi wedi'i neud iddi hi, yn fy ngwthio fi o'r neilltu, yn fy nhaflu ar y doman fel pe bawn i'n neb, fel pe bawn i rioed wedi golygu dim iddi. Ydi hi wedi anghofio'r cyfweliad, pan rois i'r job iddi? Ydi hi wedi anghofio fel y fflyrtiodd hi efo fi bryd hynny? A be am yr oria lawar o gydweithio braf? Sawl gwaith erioed y mae hi wedi gwenu'n arwyddocaol arna i wrth ddod i mewn i'r swyddfa a chau'r drws yn ara o'i hôl? Sawl gwaith erioed ydw i wedi syllu'n wirion i ddyfnder y wên honno? Sawl gwaith erioed y ces i fy llygad-dynnu gan ymchwydd ei bronna neu gan y coesa siapus hir wrth iddyn nhw gael eu croesi a'u dadgroesi'n fwriadol o fewn y sgertia cwta rheini? Sawl awr ydw i wedi breuddwydio . . . ? Ydi petha felly'n golygu dim iddi erbyn heddiw? A be am y profiada preifat rheini, tu allan i oria gwaith? Y cinio i ddau – yn y Stag & Hounds, er enghraifft. Y fath ddisgleirdeb dwfn oedd i'w weld yn ei llygada tywyll hi bryd hynny wrth iddi godi'r gwydryn gwin at ei gwefus laith? Y fath asbri a'r fath addewid oedd i'w glywad ymhob gair ac ymhob chwerthiniad. A be am y diwrnod hwnnw ar y Ddyfrdwy yn y *Potteries Maid*? Neu'r caru gwyllt yn unigedda Gogledd Cymru . . . a choedwig Delamere . . . a'r gwesty yn Blackpool . . . a'r gwely yma . . .

Do, fe ddaeth pob peth yn ôl yn ystod oria'r nos. Ac yn waeth na dim, fe ddaeth y darlun ohoni hi'n rhannu'i gwely yn y fflat yn Garden Lane. Fedrwn i ddim cysgu wedyn yn reit siŵr. Rwyt ti wedi gneud cam mawr â fi, Kate, ac rwyt ti wedi gneud pob dim yn ddu o 'nghwmpas i.

Mi feddyliais am Mam hefyd. Ac am Constance. Ac am Kevin a'r plant. Mi fyddai'n well pe bawn i heb neud.

* * *

Mi godais am saith, gneud panad o goffi a thamaid o dost a marmalêd i mi fy hun, a mynd â nhw'n ôl i'r gwely efo fi. Roedd y tŷ'n oer a finna'n rhynllyd, a'r wawr tu allan yn gyndyn o dorri drwy'r blancad o gymyla duon. Bûm yn hir yn adfer fy ngwres.

Erbyn imi ddeffro o'm slwmbran anesmwyth, roedd hi'n ddeng munud i ddeg. Deng munud i ddeg ar fora Sul oer, tywyll, gwag. Wnes i ddim byd ond swatio'n dorch yn y gwely mawr a chodi'r dillad dros fy mhen. Fedrwn i ond gweld fy hun yn ynys fechan o unigrwydd wedi'i hamgylchynu gan fôr o bobol hunanol, dideimlad. Kate efo'i dau fys herfeiddiol, Mam efo'i llwon o ffyddlondeb i ddieithryn llwyr, Edith a Marjory yn eu difaterwch pell, Kevin – y mab nad oedd fab mwyach . . . a thon ar ôl ton o ddieithriaid llwyr yn fy herio, yn fy mygwth efo cyllyll ac yn hawlio fy nghyfoeth. Erbyn heddiw, pa werth sydd i'r cyfoeth hwnnw, beth bynnag? Y tŷ mawr efo'i holl gysuron, y cwch ar yr afon, y Mercedes yn y garej . . . Be ydi'u gwerth nhw?

Rywbryd yn ystod y bora fe ganodd cloch y drws yn hir, ddwywaith neu dair, ac fe ddaeth cnocio diamynadd i ddilyn.

Mi godis at ginio ond heb drafferthu gwisgo. Roedd hi'n glawio'n ddi-baid tu allan. Doedd gen i fawr o awydd bwyd ac mi fodlonais ar goffi a dwy fisged cyn cychwyn yn ôl am y llofft. Ar y mat y tu mewn i ddrws y ffrynt roedd pedwar neu bump o lythyra blith draphlith, a'r Sunday Telegraph drostyn nhw. Mi feddyliais bryd hynny mai'r postmon oedd wedi bod yn curo. Falla bod ganddo barsal imi a'i fod o wedi methu ei adael, neu wedi'i adael ar garrag y drws, tu allan.

Ond doedd o ddim! Doedd dim byd arall yno chwaith i awgrymu pwy fu'n cnocio. Yn y gwlybaniaeth, doedd dim posib deud a fu car drwy'r giât y bora hwnnw ai peidio, gan nad oedd dim o'i ôl ar y tarmac du.

Wrth gamu i mewn yn ôl, fe sylweddolais nad oedd post ar fora Sul a bod y llythyra wedi gorwedd yno er bora ddoe. Do, wedi meddwl, fe wnes i gamu drostyn nhw fwy nag unwaith ar fy ffordd i mewn ac allan o'r tŷ, oherwydd 'mod i'n gweld mai cylchlythyra'n gofyn am arian oedden nhw. Fe'u codais nhw rŵan, efo'r papur. Ia, apêl oedd tri o leia – *Scope*, y gymdeithas i helpu rhai sydd wedi diodda strôc; y Salvation Army oedd un arall, a'r trydydd oddi wrth yr hospis lleol, yn begio am bres. Bil trydan oedd yr ola. Gadewais hwnnw ar fwrdd y gegin, fel 'mod i'n rhoi sylw buan iddo fo. Fe gafodd y lleill fynd i'r fasgiad. Ddaw rhywun byth i ben efo'r holl fudiada dyngarol 'ma sy'n gofyn am help. Fel roedd un o'r hogia'n ddeud yn y Lòj yn ddiweddar, 'Maen nhw'n gwario'u pres i gyd ar bapur ac amlenni a stampia. Dydi'r arian ddim yn mynd at achos da, siŵr dduw! Isio'r pres i dalu'u cyfloga'u hunain maen nhw.' Sut bynnag, be fyddai Nhad a Nhaid yn arfar ei ddeud? – 'Pawb drosto'i hun ydi hi yn yr hen fyd 'ma.'

Chydig iawn ddarllenis i o'r papur. Dechra efo'r *Financial Supplement*, fath ag arfar, a gweld bod enillion MC Conglomerate am y chwe mis dwytha yn llawar is na'r disgwyl, a bod pris cyfranddaliada'r cwmni, oherwydd y rhagolygon gwael, wedi syrthio bron i wyth deg ceiniog yn ystod yr wythnos a aeth heibio. Uffar dân! Doedd ond rhyw bythefnos ers imi brynu deuddeng mil o'r blydi petha, ar sail sgwrs gyfrinachol a glywis i yn y Lòj! Roedd hyn yn golygu 'mod i o leia naw mil a hannar o bunna ar fy nghollad!

Yn naturiol, rhwng pob dim roedd gen i lai o awydd codi wedyn. Dim mynadd chwaith rhoi teledu'r llofft ymlaen, na'r radio.

Rhaid 'mod i wedi slwmbran, a breuddwydio am Nhad. Hwnnw, yn yr hunlla, yn gweiddi arna i i godi a mynd i gwffio drosto fo yn y rhyfal. 'Cwyd, y conshi diawl! Dos i gwffio dros dy deulu!' Ac mi welwn Taid Joseph yn sefyll tu ôl iddo fo, yn nodio'i ben yn flin, a thu ôl i hwnnw roedd 'na ddau arall yn ysgwyd eu penna i anghytuno. Ac er nad oeddwn i erioed wedi gweld y rheini o'r blaen, fe wyddwn i mai Nain Gwen oedd un ohonyn nhw ac mai'r hen ddewyrth Andrew oedd y llall. Yna, roeddwn i'n rhedag yn fy nghwman drwy'r ffosydd yn Ffrainc, efo'r magnela'n ffrwydro o 'nghwmpas i. Fi oedd y targed. Fi oedd yn cael ei erlid. Un funud roeddwn i'n llamu o'r naill ddoc i'r llall a'r funud nesa'n gwibio trwy iardia coed a seidins trena cyfarwydd, gan faglu a stryffaglu rhwng cyrff gwaedlyd noeth. Syrthiodd y magnela'n gawod eto . . . yn llawar nes . . . yn llawar mwy bygythiol . . . ac mi ddeffrois, yn laddar o chwys, i glywad sŵn y curo styfnig yn marw mewn adlais yn y pelltar.

Erbyn imi fynd i lawr ac agor y drws, doedd neb yno, nac unrhyw arwydd fod neb wedi bod yno chwaith. Es 'nôl i 'ngwely, ac yno, efo 'mhen o dan y dillad, y bûm i weddill y dydd, heb neb yn trafferthu i godi ffôn i holi yn fy nghylch.

* * *

Fe gysgis fel mochyn neithiwr. Cwsg difreuddwyd. A bora 'ma, dwi'n teimlo'n sgafnach yn fy mhen, fel pe bawn i wedi cael gwarad mwya sydyn o hen annwyd trwm. Dwi'n sgafnach fy nghorff hefyd, rywsut, fel dyn cloff wedi cael taflu'i fagla ar ôl gwellhad gwyrthiol. Pam? Wel, pwy ŵyr yn iawn pam! Ond y peth ola cyn mynd i gysgu neithiwr, fe ges i weledigaeth o fath. Roedd fy meddwl wedi llithro, heb imi sylweddoli bron, oddi ar y problema sydd gen i efo Mam a Kate ac wedi troi unwaith eto at ddyddiaduron yr hen ddewyrth. Fe ddaeth yr un hen gwestiyna'n ôl imi, petha fel – Pwy oedd y 'Casglwr Trethi'? Pwy oedd 'gwraig Elimelech' a 'nith Mordecai'? At be roedd o'n cyfeirio pan oedd o'n sôn am 'lwgrdâl y Casglwr' ac 'arian Jiwdas'? Cyfeiriada beiblaidd oedden nhw i gyd, fe allwn weld hynny. Ond teulu o enwa beiblaidd oedden ninna hefyd pan oedd Andrew Cairns yn ifanc. Felly, a derbyn nad oedd yr hen ddewyrth yn ddw-lâl fel y tybiais i ddechra, yna mae'n rhaid fod atab i'r dryswch i'w gael rwla yn y Beibil. A chan nad oes gen i Feibil fy hun, mi benderfynis cyn cysgu neithiwr y byddwn i'n mynd ben bora heddiw i holi'r ficar lleol, gan fod hwnnw'n byw o fewn canllath neu ddau imi.

Mae cwestiwn arall, hefyd, wedi bod yn fy mhlagio fi o'r cychwyn, ond 'mod i wedi osgoi rhoi sylw dyladwy iddo fo tan rŵan. Nodyn yn un o'r dyddiaduron ydi hwnnw – 'Gorffennaf 6ed 1918: Er fy mod wedi fy nghlymu gan addewid a llwgrdâl y Casglwr, fe fynnaf, ryw ddydd, ddatgelu'r cyfan a rhoi'r allwedd i ddatrys pob dirgelwch.' A derbyn y bydda i, bora 'ma, yn cael eglurhad ar y geiria 'llwgrdâl y Casglwr', sut wedyn mae dehongli'r ymadrodd 'fy nghlymu gan addewid'? Pa addewid? Addewid i bwy? A pham na chadwodd yr hen ddewyrth at yr addewid arall i 'ddatgelu'r cyfan a rhoi'r allwedd i ddatrys pob dirgelwch'. Dim ond ar ôl deffro bora 'ma y ces i'r syniad cyffrous y gall o fod wedi cadw'r addewid honno hefyd.

Wrthi'n pendroni yn fy ngwely yr oeddwn i ynglŷn â sut yn union ydw i'n mynd i holi'r ficar (neu'r esgob neu beth bynnag mae o'n cael ei alw), pan gofiais i am nofel anorffen yr hen ddewyrth. 'Os ydi dyn yn ffansio'i hun fel tipyn o nofelydd,' meddwn i wrthyf fy hun, 'yna dydi o'm yn gneud math o synnwyr na ddaru'r hen foi lwyddo i'w gorffan hi cyn marw, a fynta wedi cael byw am hanner can mlynedd a mwy. Ac os ddaru o addo datrys pob dirgelwch cyn marw, yna lle mae o'n gneud hynny?' Nid yn y dyddiaduron, beth bynnag. Felly, trwy resymeg, mae'n rhaid fod yr atebion i'w cael yn y nofel!

* * *

Roedd gwell blas o dipyn ar y coffi a'r tôst, bora 'ma. Un rheswm am hynny oedd fy mod i wedi gwrthod gadael i'm meddwl oedi efo Kate na Mam. A rŵan, wrth imi brysuro i gyfeiriad y ficerdy, mae'r mygdarth sydd i'w weld yn codi oddi ar wynab y ffordd a'r cloddia yn brawf fod rhywfaint o wres i'w gael o hyd yn haul gwan mis Tachwedd.

The Rectory. Dwi wedi pasio'r lle droeon, heb fawr mwy na thaflu cip drwy'r giatia agored. O boptu'r giât mae 'na walia uchal o dywodfaen melynddu efo amrywiaeth o goed bythwyrdd a chollddail yn gwyro'n ddi-drefn drostyn nhw. Mae'n amlwg nad ydi'r ficar – rheithor, yn hytrach – ddim yn credu mewn tocio'i goed, mwy nag ydi o'n credu mewn cyflogi rhywun i chwynnu o flaen y tŷ, lle mae pob math o flerwch gwyrdd wedi ymddangos drwy'r graean llac.

Tywodfaen ydi carrag yr adeilad hefyd, hon yn fwy melynwyrdd gan ei bod ymhellach o gyrraedd budreddi'r traffig. Pensaernïaeth canol y ddeunawfed ganrif ddwedwn i, er nad ydw i'n awdurdod ar betha felly o bell ffordd. Mae'r ffenestri a'r drws yn urddasol o ran maint ond nid o ran ansawdd. Mewn ambell fan mae'r paent wedi diflannu'n llwyr efo'r tywydd, gan adael coedyn noeth sydd wedi bod trwy sawl proses o wlychu a sychu mewn glaw a haul.

'Be ga i neud ichi?'

Mae o'n gawr o ddyn ysgwyddog, boliog, efo mop o wallt trwchus gwyn. Does ganddo ddim colar gron. 'Fedra i gael gair efo'r rheithor, os gwelwch yn dda?'

'Wrth gwrs. Dowch i mewn.'

Ar ôl cau'r drws tu ôl imi, mae'n fy arwain ar draws cyntedd eang i stafall sydd â'i nenfwd uchel wedi'i amgylchynu efo mowldwaith trwm o siapia dail a ffrwytha.

Er bod y carped wedi hen golli cnesrwydd ei liwia gwreiddiol, eto i gyd mae ei drwch i'w deimlo o dan fy nhraed. Mae tân coed siriol yn llenwi'r grât efo'i fflama a'i sŵn, a sèt dridarn yn llenwi'r rhan fwya o'r llawr. Does dim rhaid gofyn pa un ydi cadair gŵr y tŷ. Mae honno wedi'i thynnu at ymyl dde'r grât ac mae hi wedi hen ildio i siâp ei pherchennog. O'r hyn a wela i trwy lwch y ffenast, does dim mwy o raen ar yr ardd gefn nag oedd yn ffrynt y tŷ; y lawnt fel cae gwair cyn cynhaea a'i dyfiant yn cau am fonion llwyni a phlanhigion, i'w tagu. Yn y gongol i'r dde o'r ffenast, fel pe bai am osgoi unrhyw oleuni naturiol, mae desg drom efo lamp fechan arni sy'n taflu ei gola oren ar bentwr o bapura a llyfr trwchus agored.

'Steddwch, Mr . . . ?'

'Cairns. Nid chi ydi'r rheithor?' Mae golwg rhy flêr, rhy fydol, ar hwn.

Mae'n chwerthin yn iach. 'Ia. Mae gen i ofn mai fi ydi'r anffodusyn hwnnw.'

'O!' Pam *anffodusyn* os gwn i? 'Mae'n ddrwg gen i'ch styrbio chi wrth eich gwaith.'

Mae ynta'n edrych i gyfeiriad congol glyd y ddesg ac mae'n chwerthin yn rhadlon unwaith eto. 'A! Hanes y Ffydd yn ninas Caer o ddyddia'r Rhufeiniaid hyd heddiw. Darlith i'w thraddodi i Gymdeithas Eglwys San Siôr . . . Wyddoch chi pryd?' Mae ei wên yn lledu eto o gongla'i lygaid i gongla'i geg, nes i'w ddannadd gosod mawr ddod i'r golwg. 'Un naw saith naw! Ugain mlynedd yn ôl!' Eto'r rhuad byr o chwerthin. 'Braslun oedd o i fod, ond fe dyfodd yn llafur oes, ac yn faen melin am fy ngwddw i.' Nid cwyno mae o, oherwydd mae'n amlwg ei fod yn mwynhau'r gorchwyl. 'A rŵan, Mr Cairns, sut alla i'ch helpu chi?'

'Ym!' Dydw i jyst ddim wedi meddwl sut i gyflwyno'r broblem iddo fo, a wneith y gwir mo'r tro. 'Ym! . . . Wyres imi sydd wedi cael gwaith cartra ac wedi gofyn i mi'i helpu hi, ac mae gen i ofn na fedra i ddim. Ym! . . . Cwestiyna ar y Beibil ydyn nhw a . . . a roeddwn i'n digwydd pasio'ch tŷ chi gynna ac mi fûm i mor hy â dod i holi . . . '

Stori wan ond mae o'n gwenu.

'Dim problem.' Ac mae'r wên yn troi'n chwerthin. 'Dim problem eich bod chi wedi dod i holi, dwi'n feddwl. Mi all eich cwestiyna chi, ar y llaw arall, fod yn broblem aruthrol imi.'

Dwi'n synhwyro y byddai'n embaras iddo pe bai'n methu cynnig atebion imi.

'Pedwar cwestiwn sy 'na. Fedrwch chi ddeud wrtha i pwy oedd gwraig Elimelech?'

'Cadwch nhw mor hawdd â hwn'na,' medda fo, gan smalio rhyddhad mawr ei fod yn medru atab o leia un o'm cwestiyna. 'Ruth oedd gwraig Elimelech. Falla'ch bod chi'n cofio'i hanas hi a'i mam-yng-nghyfraith Naomi yn gorfod lloffa am eu bwyd yn y caea ŷd.'

Dwi'n teimlo'r cyffro yn rhedag fel pluen ysgafn i fyny 'nghefn. Ruth! . . . A Naomi hefyd! 'Diolch. Fedrwch chi ddeud wrtha i rŵan pwy oedd nith Mordecai?'

'Ha! Yr Iddewes a briododd Ahasferus, brenin Persia, ac a fentrodd ei bywyd er mwyn achub ei phobol. Nith Mordecai, Mr Cairns, oedd Esther.'

Ruth, Esther, Naomi . . . Mae'r darna yn disgyn i'w lle. 'Arian Jiwdas. Be fasa hwnnw 'ta?'

Wrth iddo fo edrych yn geryddgar braidd arna i, fel pe bawn i wedi gofyn cwestiwn y dylwn i wbod yr atab iddo fo'n iawn, dwi'n prysuro i achub fy ngham, 'Dwi'n gwbod bod Jiwdas wedi derbyn pres am fradychu Crist, ond fedar y geiria olygu rwbath arall? Rwbath mwy cyffredinol?'

'Wrth gwrs! Yn drosiadol mi all 'arian Jiwdas' olygu unrhyw lwgrwobr lle mae dyn – neu ddynes wrth gwrs – wedi bradychu rhywun sy'n ymddiried ynddo fo neu hi. Neu, mae'r dywediad yn cael ei ddefnyddio hefyd pan mae rhywun yn bradychu un o'i egwyddorion ei hun, er mwyn arian.'

'O!' Bydd raid imi feddwl mwy ynghylch ystyr yr hen ddewyrth o'r geiria yna. 'Dwi'n ddiolchgar iawn ichi. Mae 'na un cwestiwn arall, ond dydw i ddim yn siŵr ai cwestiwn beiblaidd ydi o a deud y gwir. Ydi *Casglwr Trethi* yn golygu rwbath ichi?'

'Faint ydi oed eich wyres, Mr Cairns?'

'Fy wyres?' Mae fy nryswch yn amlwg yn fy llais ac ar fy ngwynab. 'Does gen i . . . ' Ond dwi'n cofio mewn pryd ac yn brathu 'nhafod. 'Ym! Tair ar ddeg. Pam 'dach chi'n gofyn?'

Mae'r wên yn ei hôl eto. 'Mae'n cnesu 'nghalon i i wybod bod maes llafur ein hysgolion yn rhoi lle teilwng i astudiaetha beiblaidd unwaith yn rhagor, yn hytrach na chanolbwyntio'n ormodol ar gyflwyno holl grefydda'r byd. Ond, i ddod 'nôl at eich cwestiwn chi! Yr unig gasglwyr trethi y gwn i amdanyn nhw yn y Beibl ydi Lefi a Saccheus . . . a Mathew wrth gwrs.'

Fedra i ddim diolch digon iddo fo, na gadael ei dŷ yn ddigon buan. Dwi'n mynd i 'mhocad gan feddwl rhoi cyfraniad tuag at ei eglwys ond yn cofio'n sydyn mor wag ydi fy walat i, ar ôl nos Sadwrn.

* * *

Mae'r adrenalin yn gyrru trwy 'ngwythienna fel dŵr poeth allan o gawod. Mi fedra i ei deimlo fo'n gynnwrf trwy 'nghorff wrth imi frysio'n ôl am y tŷ. Mathew – y Casglwr Trethi; Ruth – gwraig Elimelech; Esther – nith Mordecai . . . a Naomi fel bonws annisgwyl. Fe gafodd Andrew Cairns ei lwgrdalu gan ei dad, Mathew – swm sylweddol o arian yn ôl pob golwg. Pam? I adael cartra? Pam? Rhag dwyn gwarth ar y teulu am ei fod yn llofrudd? Nage, oherwydd mae Andrew'n deud yn ddigon plaen yn ei ddyddiadur ei fod yn ddieuog o'r drosedd honno. Pam 'ta? A be oedd yr addewid oedd yn ei glymu fo? Yr atab i'r cwestiwn yna sy'n gyffro imi rŵan wrth ruthro am y tŷ. Fe dderbyniodd Andrew bres gan ei dad i adael cartra, i adael y wlad, ac i addo peidio dychwelyd byth. Dyna'r tâl, a dyna'r addewid! Dim ond un cwestiwn sydd rŵan ar ôl heb ei atab – Pam y gwnaeth o hynny? Ac mi wn i lle i ffeindio'r atab i'r cwestiwn hwnnw hefyd, dwi'n meddwl – sef yn 'A Mystery Solved', nofel anorffen, ond cyflawn hefyd, yr hen ddewyrth. Yn ystod yr oria nesa, mi fydda i'n datrys dirgelwch sydd wedi creu penbleth ers tri chwartar canrif. Mi fedra i ragweld llyfr John Davey, y ditectif Scotland Yard, yn mynd i ail a thrydydd argraffiad, ond yr atodiad gan Robert Meredith, gor-nai (ai dyna'r gair?) Andrew Cairns, fydd y bennod allweddol. Yn honno y ceir atab i'r holl gwestiyna. Yn honno y bydd datrys yr holl ddirgelwch. Mi fydd y papura tabloid fel pla, eu penawda eisoes wedi'u llunio – *MERSEY DOCK STRANGLER NAMED, THREE QUARTERS OF A CENTURY ON . . . CHESTER MAN SOLVES MYSTERY OF NOTORIOUS DOCK STRANGLER . . . BOOTLE OLD BOY UPSTAGES SCOTLAND YARD DETECTIVE OF LONG AGO . . . GREAT NEPHEW CLEARS FAMILY NAME* . . . Ac nid y papura'n unig! Mi fydd galw am gyfres deledu . . . *STRANGE BUT TRUE* neu *FACT FROM FICTION* . . . Yr ola 'na'n deitl da, o styried mai 'nofel' – ffuglen – yr hen ddewyrth ddaru agor drws i'r dirgelwch. Ond pwy fydd yn chwara rhan Robert Meredith Cairns? Gwynab *pwy* fydd ditectif y gyfres? John Thaw? Na. Fedar hwnnw ddim dengyd rhag Inspector Morse. David Frost? Gormod o rwdlyn. Tom Cruise? . . . Richard Gere? Rhy americanaidd. Rhy ifanc hefyd, mae'n beryg. Anthony Hopkins? Ia, dyna well! Actor a hannar! Ac yn yr oed iawn.

Wrth wthio'r drws yn glep o'm hôl, dwi'n trio cofio yn lle y rhois i'r copi o '*A Mystery Solved*'. Y cof dwytha sydd gen i amdano ydi yn nhafarn y New Roodee, y tro hwnnw y gwelis i . . . Ia, os gwn i sut y bydd *hi*'n teimlo pan welith hi lun Robert Meredith yn y *tabloids*? A be ddeudith hi pan welith hi Anthony Hopkins a finna wedi dod yn un ar y sgrîn? Parod iawn, bryd hynny mae'n siŵr, i gydnabod ein perthynas, ac i werthu'i stori – *MY TORRID AFFAIR WITH LATTER-DAY SHERLOCK HOLMES . . . MY BOSS, MY HERO . . . MY UNDYING LOVE FOR ROBERT CAIRNS . . .* Nage . . . *MY UNDYING LOVE FOR ROBERT MAREDYDD.* A be ddeudith *o*, y gwalltog budur, pan fydd hi'n troi cefn arno fo, ac yn fy newis *i*? Hy! Dydi bod yn ifanc ddim yn bob dim, mêt! Rhaid iti gael rwbath go sylweddol yn dy ben yn ogystal ag yn dy ffwrch!

Lle uffar mae'r nofel 'na? A phwy ddiawl sy'n canu cloch y drws?

* * *

'Fedra i gael gair!'

Deud mae o, nid gofyn. Ac mae o fel arth rhyngof i a'r byd tu allan.

'Pwy ydach chi?' Ond dwi'n gwbod yn iawn. Nid pob dyn sy'n tyfu'i wallt mor hir nac yn gwisgo mor flêr.

'Mi fûm i yma deirgwaith ddoe, ond doeddet ti ddim am atab y gloch.'

Dydw i ddim yn licio tôn edliwgar, ymosodol ei lais, cystal â deud 'mod i wedi gwrthod agor y drws. Rhaid mai fo fu'n canu'r gloch ganol bora a rhaid mai fo fu'n dyrnu'r drws ganol pnawn. Os galwodd o deirgwaith, yna rhaid ei fod o wedi bod yma wedyn hefyd, tra oeddwn i allan yn y ciosg, ac yn cael fy mygwth gan y criw *National Front* 'na.

'Doeddwn i ddim adra ddoe. Pwy ydach chi, beth bynnag? A be 'dach chi'i isio? . . . Hei!'

Mae'r diawl digwilydd wedi gwthio heibio ac i mewn i'r cyntedd.

'Chdi ydi Robert Cairns!' Deud eto, nid gofyn.

'Ia. Ond . . . '

'Efo chdi'r oedd Katherine yn gweithio, felly? A chdi sydd wedi bod yn bla ar y ffôn ac yn stelc . . . '

'Katherine? Pa Katherine?' Dydw i ddim yn hoffi sŵn ei lais o, ac yn reit siŵr dydw i ddim yn licio'r ffordd ddaru o 'i wthio'i hun i'r tŷ, heb wahoddiad na chaniatâd na dim.

'Fe wyddost ti *pa* Katherine yn iawn, mêt. Katherine Forden.'

'O! Katherine Forden. Do, wrth gwrs, mi fuodd hi'n gweithio imi yn Maxim Electrics. Pam 'dach chi'n gofyn?'

Mi fedra i weld ei gyfyng-gyngor. Ŵyr o ddim sut i ymatab i gwrteisi. Ŵyr o ddim chwaith ei fod yn delio efo actor Shakespearaidd!

'Ysgrifenyddas breifat i *ti* oedd Katherine?'

Cwestiwn ansicr dwi'n ei glywad rŵan, a dwi'n gweld fy nghyfla. 'Ia, wrth gwrs. Merch dda'i gwaith. Trwyadl a dibynnol iawn. Fe fu'n chwith garw i mi pan adawodd hi Maxim Electrics . . . '

Mae o fel tarw cynddeiriog wedi colli golwg ar y cadach coch, a dwi'n manteisio ar ei ansicrwydd. ' . . . Be gymerwch chi i'w yfad? Te? Coffi? Wisgi? Lagyr? Mae gen i bob dim.'

'Ym . . . Wisgi 'ta . . . plîs.' Cyndyn ydi'r '*plîs*', ond mewn dim mae o'n newid ei feddwl, 'Ym! Naci, gwna fo'n lagyr.'

'Iawn. Fydda i'm ond dau funud.' Jyst digon o amsar i bicio i'r garej! 'Eisteddwch yn fan'na, a phan ddo i'n ôl, mi gewch chi egluro imi be 'di'r broblem.'

Mae arna i angan munud neu ddau i benderfynu sut i gael gwarad â fo, oherwydd mae'n amlwg mai wedi dod yma i 'mygwth i mae o. Ond pam? Oherwydd bod Kate wedi gofyn iddo? Mae'n anodd gen i gredu y gwnâi hi beth felly. Nid i mi, o bawb! Na, hwn ydi gwraidd pob drwg. Ar ôl i hwn ymddangos y dechreuodd petha fynd o chwith. Fo ddaru droi Kate yn f'erbyn i, a fo aeth dros ei phen hi i

136

gwyno wrth yr heddlu amdana i. Y mochyn diawl! Ond *mae* bai arni hitha hefyd. *'She turn'd to folly, and she was a whore.'* Ers iti 'ngadael i, Kate, rwyt ti wedi bychanu dy hun, wedi suddo i ganol mwd a budreddi gwehilion cymdeithas. Waeth iti heb â gwadu! *'Therefore confess thee freely of thy sin.'* *Meddwl* bod ei wraig yn anffyddlon iddo fo wnaeth Othello, ond dwi'n *gwbod* i sicrwydd am d'anffyddlondeb di. Roedd Desdemona'n bur ac yn ddiwair, ac yn deyrngar i'w gŵr, ond rwyt ti wedi ymorchestu'n agorad yn dy garwriaetha. Fe gafodd gwraig Othello gam mawr, ond rwyt ti'n haeddu pob dim a ddaw i'th ran. *'O perjur'd woman! Thou dost stone my heart . . . Out, strumpet!'*

'Wisgi fydda i'n yfad fy hun. Dyma i chitha wisgi i aros, tra bydda i'n mynd i nôl y lagyr.' Mae o'n dal i sefyll mewn cyfyng-gyngor ac ansicrwydd ar ganol llawr. 'Steddwch, da chi.'

Mae o'n edrych yn amheus arna i eto, ac ar y gwydryn llawn o wisgi, ac mae'n gyndyn ar y diawl o'i neud ei hun yn gyfforddus. Wedi dod yma i godi helynt mae o – i neud niwad corfforol imi, synnwn i ddim – ond dwi wedi llwyddo i hau amheuon yn ei feddwl a does ganddo fo ddim syniad sut i ymatab i'r fath gwrteisi a gwarineb.

* * *

Erbyn imi ddod 'nôl, mae o *wedi* 'i neud ei hun yn gyfforddus a mae o rŵan yn lledorweddian yn ddioglyd ar y soffa, efo cynffon ei wallt yn hongian yn rhydd dros ei chefn a'r gwydryn gwag yn clwydo'n simsan rhwng ei fysedd. Llafurus iawn ydi'i anadlu fo, fel pe bai yng nghanol plwc o asthma! Ydi, gyda lwc mae'r wisgi wedi tynnu'i golyn o!

* * *

Rhwng pob dim, chydig iawn o gwsg ges i neithiwr, er fod blindar yn drwm yn fy mhen. Y rheswm penna am hynny oedd y cynnwrf a'r cyffro poeth a redai trwy 'ngwaed. Gyntad ag y caewn fy llygaid, ro'n i'n ei weld o eto'n llenwi drws fy nhŷ yn gawraidd, ei ddyrna tyn yn arwyddo'i fwriad. Finna fel rhyw Ddafydd di-arf, di-ffon dafl, gerbron Goliath, neu'n Ffilistiad bach euog o dan wg Samson. A waeth sut y trown ac y troswn i, allwn i ddim dengyd rhag y cwestiyna heriol rheini: '*Chdi* ydi Robert Cairns? . . . Ysgrifenyddas breifat i *ti* oedd Katherine?'

Ond mae gan bob Goliath ei fan gwan, ac roedd i Samson hefyd ei gwymp!

Droeon y rhois gynnig ar nofel yr hen ddewyrth, ond yr un mor amal fe gâi ei gollwng o'm gafael lipa, nes bod ei blerwch cynyddol yn ymestyn dros y dwfe ac yn goferu i'r llawr. Camgymeriad fu datod y darna llinyn gwyrdd a'i daliai hi efo'i gilydd.

Rywbryd ar ôl hannar nos, fe ddiffoddwyd gola'r tŷ gan y gwynt cry oedd i'w glywad yn ffyrnigo tu allan, a dyna pryd y daeth rhywfaint o gyntun anniddig. Pan ddeffrois, roedd yn ugain munud wedi un a sŵn llais diarth yn llenwi'r llofft. '*Ah! Memories are made of this! That was Nina and Frederick topping the charts in the sixties with "Sucu Sucu". And now to another classic. One of the all-time greats . . . Old Blue Eyes himself, with "My Way".*'

Wrth i'r dychryn gilio fe sylweddolais fod y trydan yn ei ôl a bod larwm y radio wedi dod ymlaen ohono'i hun. Roedd popeth yn fy mhen yn afreal a'r lamp fach ger y gwely yn taflu cysgodion i'r corneli. Sŵn dwrdio oedd yn y gwynt tu allan wrth iddo'i hyrddio'i hun yn erbyn gwydyr dwbwl y ffenast.

Meddyliais am godi i neud mygiad o goffi ond ymatal wnes i oherwydd roeddwn nid yn unig yn gyndyn o golli clydwch y gwely ond hefyd yn ymwybodol o'r blindar

138

corfforol oedd yn cydio ymhob cymal a chyhyr.

'And now the end is near . . . As I approach the final curtain . . . I did what I had to do . . . ' Fe gaeais geg Old Blue Eyes a chan fod cwsg yn bell unwaith eto, a'r meddwl erbyn hyn yn fwy chwim, dyna estyn am nofel wasgarog yr hen ddewyrth, i roi trefn yn gynta ar ei thudalenna. Fe gymerodd rai munuda imi neud hynny, gan nad oedden nhw wedi'u rhifo, ond o'r diwadd dyna gychwyn ar bennod y byddwn i wedi'i ddarllan hi oria'n ôl oni bai am ymyrraeth haerllug yr ymwelydd annisgwyl. Ond fe gawn i lonydd rŵan.

'A Mystery Solved'

Chapter 1

The story begins on the night of October the twelfth, 1914. It had been a misty evening and JC had stormed out of the house in a foul temper because MC had scorned his demands. I, however, had worries of my own, knowing as I did that the GM problem would have to be resolved sooner rather than later. During those heavy hours I dreaded to think what the outcome might be . . .

Gyda chydig go lew o ddychymyg gellid dychmygu Conan Doyle yn cnesu i'w waith!

. . . Parhaodd tyndra'r aelwyd gydol y min nos. Bob hyn a hyn cyfarthai MC ar Mam a rhedai honno'n ufudd i bob gorchymyn a rheg. Teimlwn fy ngwaed yn berwi yn effaith ei fustl, ond fel R ac E, a eisteddai'n dawel wrth y bwrdd yn gwnïo, cau ceg a wneuthum innau hefyd, a dioddef yn dawel ei fytheirio gwyllt. Roedd JC o'r un anian â'i dad yn union ac roedd y naill wedi byw ac wedi porthi erioed ar fustledd y llall. Swatio i gadw dysgl wastad oedd ateb y gweddill ohonom, ond heb fawr o lwyddiant yn aml . . .

Oedd, roedd yr hen ddewyrth yn credu o ddifri fod ynddo ddawn nofelydd! Ond nofel ryfadd ar y diawl oedd un heb enwa call i'w chymeriada. Os mai nofel hefyd!

. . . Rywbryd cyn deg o'r gloch, a hithau wedi hen dywyllu tu allan, fe ddaeth JC i'r tŷ, ei ddillad yn drwm o wlaw a'i wallt yn glynu'n gudynnau gwlyb i'w dalcen. Aeth yn syth i'r llofft, heb gyfarch neb, a'r cuwch a oedd gynt yn duo'i wyneb ifanc wedi rhoi lle i olwg o bryder edifarhaol dybiwn i. Ni wnaeth MC ddim mwy na gwgu ar ei ôl cyn dechreu cyfarth yn gyhuddgar unwaith eto ar Mam. Anodd iddi hi, fel ninnau, wybod beth oedd hawsaf i'w ddioddef, ei dymer wyllt ynteu ei gyfnodau o oriogrwydd ac iselder ysbryd. Roeddwn wedi sylwi bod y rhai hynny yn dod yn amlach yn ddiweddar . . .

Yn effaith y syrffed a'r syrthni, darllan greddfol, diamgyffred bron, oedd o, efo'r geiria'n gneud dim mwy na nofio ar wynab y crebwyll. Gweld y geiria o'n i, yn hytrach na'u dallt, a hynny'n amal trwy lygaid oedd yn cael eu tynnu'n groes gan syrthni. Diffodd y gola a cheisio cwsg oedd y peth calla i'w neud o dan y fath amgylchiada. Ond er gneud hynny, ac er gwasgu fy llygada a gwagio 'mhen, orau allwn, o bob cyffro a phob dryswch, doeddwn i'n ddim nes i'r lan. Neidiai geiria a llythrenna ata i o'r tywyllwch. MC . . . JC . . . Mathew Cairns? . . . Joseph Cairns? . . . R . . . Ruth! E . . . Esther!

Yn effaith y weledigaeth gyffrous, fe gliriodd niwl y pen ar ei union a neidiais eto at swits y lamp wrth erchwyn fy ngwely.

. . . Gorweddais yn effro yn hwyr i'r nos. Gwyddwn mai effro roedd JC, hefyd, yn y gwely wrth fy ymyl. A gwyddwn yn ogystal fod rhywbeth mawr yn ei boeni; rhywbeth mwy na'i ffrae efo'i dad, a rhywbeth mwy hefyd na'r poen meddwl oedd arnaf i. Ni throesai i'm cyfarch wrth i ni noswylio ac roedd ei gefn styfnig yn rhybudd i'm chwilfrydedd ac i'm pryder yn ei gylch. Yn rhybudd hefyd o'r ffaith mai llenni tenau a rannai'r ystafell yn ddwy, a bod MC a Mam yn cydorwedd yn eu rhan

hwy o'r llofft, a'u bod felly o fewn clyw. Rywbryd cyn y bore fe'i
clywais ef yn griddfan ac yn igian yn ei gwsg . . .

Gallwn ddychmygu'r olygfa yn 3 St Agnes Road. Tŷ dwy
lofft, fel y rhelyw o dai'r ardal ar y pryd, a theulu mawr, fel
sawl teulu mawr arall yn y cyfnod, yn gorfod addasu i'w
hamgylchiada. Andrew a'r Taid Joseph ifanc yn rhannu
stafell wely efo'u rhieni, efo dim ond llenni yn bared
rhyngddyn nhw, a'r chwiorydd – Ruth, Esther a Naomi – yn
llenwi'r llofft arall.

. . . Tyfu'n ddyddiol a wnâi fy mreuddwyd am gael ymfudo i'r
Amerig ond yr oedd y busnes efo GM wedi taflu cwmwl dros
obeithion o'r fath.

'A Mystery Solved'

Chapter 2
Fore trannoeth, methais ymatal yn hwy. Bu'n rhaid cael clirio'r
awyr efo MC ac egluro iddo fy sefyllfa. Fe wyddai eisoes, wrth
gwrs, am fy nghynlluniau i ymfudo ac nid oedd yn rhy
wrthwynebus iddynt. Fodd bynnag, pan gyfaddefais wrtho fy
mod wedi dwyn GM i drwbl a bod hynny wedi'm taflu i
gyfyng-gyngor mawr, fe gollod ei limpyn yn lân a bygwth fy
nharo, gan fytheirio yr un pryd am warth a sarhad ar enw da
teulu ac am sibrydion maleisus cymdogion a chwsmeriaid. Aeth
gyn belled â honni y byddai busnes y siop yn dioddef o'm
herwydd! Am y tro cyntaf erioed cefais innau'r nerth o rywle
i'w wrthsefyll a chiliodd yntau wedyn i'w bwd ac i'w soriant
. . .

A! Merch oedd *GM*, felly! Roedd yr hen ddewyrth wedi bod
yn hogyn drwg, wedi'i gneud hi'n feichiog ac roedd rŵan
wedi'i gornelu rhwng ei freuddwyd a'i gydwybod! Prawf
hefyd nad fy nhad oedd unig aelod y teulu i ddiodda'r felan.

Roedd gweddill y bennod ar ffurf ymson, efo Andrew yn
pwyso a mesur holl oblygiada'i sefyllfa. Priodi GM a magu'i

blentyn oedd ei ddyletswydd amlwg ond hawdd gweld hefyd bod clymu'i draed ifanc yn arswyd gwirioneddol iddo, yn enwedig ag ynta â'i fryd ar drafeilio. Roedd ganddo baragraff hir wedyn yn trafod y posibilrwydd o godi'i bac liw nos a'i heglu hi am y wlad bell heb ddeud gair wrth neb. Ond, pob parch iddo, fedra fo ddim gweld ei ffordd yn glir i neud hynny chwaith, am na fyddai peth felly'n deg â GM, mwy nag efo'i deulu. Doedd llwybyr cachgi ddim yn dod yn hawdd iddo, mae'n debyg.

'A Mystery Solved'

Chapter 3
Yn gynnar, fore'r unfed ar bymtheg o'r mis, syfrdanwyd B a K gan newyddion brawychus . . .

B a K?

. . . Rywbryd rhwng nos a bore, darganfuwyd corff merch ifanc yn iard goed doc Huskisson a lledodd hanes y llofruddiaeth erchyll fel tân gwyllt drwy'r ddwy ardal . . .

A! 'B a K' – Bootle a Kirkdale!

. . . Daeth plismyn rif y gwlith i holi ac i stilio a dyna'r sgwrs oedd ar dafod pawb yn yr ardal. Cyfle da, yn fy nhyb i, i ollwng y gath yn gyhoeddus o'r cwd ynglŷn â'r llanastr yr oedd fy mywyd personol i ynddo, gan y byddai'r gwaradwydd yn gymaint llai amlwg o fewn cyd-destun y drychineb. Ni chytunai MC, fodd bynnag, a gohirio fu raid . . .

O fan'no âi ymlaen i grybwyll sgwrs hir a chyfrinachol a fu rhwng MC a JC – rhwng ei dad a'i frawd iau – yn hwyr i'r nos honno, wedi i bawb arall fynd i'w gwlâu. Drannoeth, sylwodd fod gofidia'r byd i'w gweld yng ngwynab y tad a bod dychryn, yn ymylu ar orffwylledd, yn duo gwynab y brawd.

Chapter 4

*Aeth pythefnos o heddwch brau heibio ar yr aelwyd.
Synhwyrem i gyd fod MC a JC yn rhannu rhyw gyfrinach fawr;
cyfrinach a oedd yn bygwth gyrru'r naill fel y llall i gyflwr di-
droi'n-ôl; y naill yn ddyfnach i gors anobaith a'r llall ymhellach
i dir gorffwylledd. JC fu ffefryn yr hen ddyn erioed ac ef hefyd,
fel y gwyddwn yn iawn, oedd cannwyll llygad y chwiorydd
hŷn, gan mai hwy a'i magodd trwy flynyddoedd ei fabandod.*

*Yna, un noson, cyrhaeddais gartre'n ddirybudd, a'u cael i
gyd yn griw difrifol o gwmpas bwrdd y gegin. Roedd ôl crio ar
wyneb pob un ohonynt, a gwallt aflêr fy mrawd yn awgrymu
iddo wneuthur popeth ond ei rwygo o'i wraidd . . .*

Roedd yr arddull yn newid. Nid nofelydd honedig oedd
wrth waith bellach ond rhywun yn bwrw'i fol yn ffeithiol ac
yn foel, ac nid heb rywfaint o chwerwedd. Codais ar fy
eistedd yn y gwely, yn y gobaith fod petha o'r diwadd yn
dod i fwcwl.

*. . . Gwyddwn fod trafod wedi bod rhyngddynt, a'm bod i fy hun
yn rhan o ba gynllun bynnag a drefnasid. A'r noson honno, fel
rhan amlwg o'r cynllun, noswyliodd gweddill y teulu yn
gynnar gan adael dim ond MC a minnau yn y gegin. 'Gwranda,
A., mae gennym fel teulu ddwy broblem . . . ' Bydd ei eiriau gor-
glên a'i wewyr amlwg wedi eu serio ar fy nghof hyd byth. ' . . .
Dy broblem di, er mor ddifrifol yw honno, ydyw'r leiaf ohonynt.
Mae un dy frawd yn fwy difrifol o ddigon. Fe gytuni, rwyf yn
siŵr, nad oes gennym ddewis ar achlysur fel hwn ond gwarchod
ein gilydd a gwneud popeth o fewn ein gallu i ddatrys yr
anawsterau, er mor ddyrys y gallant fod . . . Mae mor dda
gennyf dy weld yn cytuno (Cyfeirio'r oedd at y ffaith fy mod
wedi nodio'r mymryn lleiaf ar fy mhen), felly dyma fy
nghwestiwn iti: Sut fyddet ti'n hoffi cael gwireddu dy
freuddwyd, a hwylio i'r Amerig?' O'm gweld yn sirioli yn yr*

143

awgrym, aeth ymlaen i egluro. Ond syfrdanwyd fi gan ei eiriau
nesaf: 'Mae gennyf ofn bod J. dy frawd wedi cael ei hudo gan
bechod a'i rwydo gan ynfydrwydd a'i fod yn awr mewn perygl
o orfod talu'n ddrud iawn am ei eiliad o orffwylledd. Rwyt
tithau, fel minnau, yn clywed cwsg hunllefus y bachgen bob nos
ac mae'r dychryn, sydd wedi creithio'i wyneb ifanc ers
pythefnos a mwy, wedi bod mor amlwg i ti ag y bu i bawb arall
ohonom. Heno, tra oeddit ti allan, fe'i gorfodais i gyfaddef ei
boen a'i gamwedd . . .

Diflannodd pob arlliw o'm syrthni efo'r frawddeg nesa –

. . . Mae gennyf ofn mai dy frawd, y bachgen gwirion iddo, oedd
yn gyfrifol am y drosedd erchyll honno sydd wedi creu'r fath
arswyd a'r fath ffieidd-dra yn yr ardal yma. Trwy ddagrau
edifarhad dwfn fe gyfaddefodd mai ar ei ddwylo ef, yn anad neb
arall, y mae gwaed y ferch, AG. Duw a'n gwaredo! Y gwir yw
fod dy frawd yn llofrudd, ac ni fydd yn hir cyn i law drom y
gyfraith syrthio ar ei ysgwydd . . . '

AG – Alice Grey! Ymhen dim, ro'n i allan o 'ngwely ac yn
cerdded yn ôl a blaen fel ceiliog wedi colli'i ben. Roedd
Andrew Cairns, yng ngeiria'r hen Daid Mathew, yn datgelu
mai Joseph Cairns . . . Taid Joseph! . . . oedd y llofrudd. Mai
fy nhaid i fy hun oedd y *Mersey Docks Strangler*! Bron nad
oedd hi'n amhosib imi gredu'r peth. Fe allwn fod wedi
derbyn euogrwydd Andrew, yr hen ddewyrth, ond Taid
Joseph . . . ! Wedi'r cyfan, mae gen i gof clir am hwnnw. A
thipyn o sioc, ganol nos, oedd medru rhoi gwynab i'r *Mersey
Dock Strangler*! Y fi yn ŵyr i'r llofrudd enwog!

Fe fûm i funuda lawar cyn bod ag awydd ailgydio yn y
stori. Roedd cymaint o betha'n gwibio trwy 'mhen; cymaint
o eironi ynglŷn â be oedd rŵan wedi cael ei ddatgelu, ynglŷn
â be roeddwn i fy hun yn euog ohono. Un peth oedd yn
amlwg imi bellach, beth bynnag – fedrwn i ddim rhoi'r stori

yma yn nwylo'r un papur newydd na'r un cwmni teledu. Gallwn ddychmygu penawda'r rheini – *MERSEY DOCK STRANGLER WAS CHESTER MAN'S GRANDFATHER . . . MERSEY DOCK STRANGLER – MAN FINALLY EXPOSES GRANDFATHER'S GUILT . . . STRANGLER'S FAMILY HARBOURED ITS DARK SECRET FOR THREE QUARTERS OF A CENTURY . . . STRANGLER FAMILY'S GUILT EXPOSED.* Fe gawn fy nghroesholi a 'nghroeshoelio gan y wasg a fedrwn i ddim mentro rhoi mwy o achos i Kate fy ffieiddio . . . Ddim rŵan, yn reit siŵr, a phetha ar fin gwella rhyngon ni!

Ymhen hir a hwyr mi es 'nôl at y 'nofel'. Doedd ond Pennod 5 a hannar ola Pennod 4 heb eu darllan –

. . . Deuthum dros fy sioc ymhen amser, wrth glywed MC yn manylu ar ei gynllun ac ar ei gynnig imi. 'Rwyf yn fodlon,' meddai, 'nid yn unig i dalu'th docyn drosodd i Baltimore ar yr Anglesey Queen *ond hefyd i roi iti'r swm anrhydeddus o bum canpunt fel y gelli sefydlu bywyd a bywoliaeth deilwng i ti dy hun yn yr Amerig bell. Caiff dy frawd ysgwyddo dy gyfrifoldeb di, yma yn Lerpwl, trwy wneud gwraig barchus o GM a rhoi enw i'w phlentyn. Cei dithau setlo yn y wlad newydd yn unol â'th ddymuniad, ond o dan enw newydd sbon, fel na all yr heddlu yma nac awdurdoda'r wlad honno dy olrhain fyth. Cei dy erlid am ychydig wythnosau, mae'n siŵr, ond buan y daw'r chwilio i ben . . .*

Darllenais weddill y bennod drosodd a throsodd. Y diawl diegwyddor! A dyna, felly, oedd yr 'arian Jiwdas'! Tad yn llwgrwobrwyo'i fab ei hun – pum canpunt yn swm sylweddol yn yr oes honno mae'n siŵr – i ysgwyddo gwarth y teulu. Ac eto, allwn i ddim llai nag edmygu cyfrwystra'r cynllun! Andrew yn cael dengyd rhag ei gyfrifoldeb ynglŷn â GM, ac yna, pan oedd o'n ddigon diogel ar ochor bella'r Iwerydd, y teulu yn Bootle yn taflu awgrym a fyddai'n anfon yr heddlu ar drywydd anghywir dros y cefnfor, tra ar yr un pryd yn eu harwain oddi wrth y gwir lofrudd, sef Joseph . . . Taid Joseph! Hwnnw yn ei dro yn priodi GM er mwyn bodloni rhieni honno a gwarchod ei henw da hitha. Cyfrwys a deud y lleia!

A dyna pryd y trawyd fi gan holl wirionadd y sefyllfa. GM, wrth gwrs, oedd Gwen Maredydd! Nain Gwen, pwy arall! Wedi cael ei defnyddio a'i cham-barchu gan y blydi teulu felltith! Fu gen i rioed barch tuag at Taid Joseph, mae'n wir, ond rŵan fe deimlais don sydyn o atgasedd pur tuag ato fo, a'r atgasedd hwnnw'n ymestyn yn ôl i'w dad ynta, sef yr hen Daid Mathew . . . y *Casglwr Trethi* diegwyddor. Ond . . . ac roedd hwn yn 'ond' cynhyrfus wrth i betha gymryd trefn yn fy meddwl . . . fuodd Taid Joseph erioed yn daid imi, felly! Y gwir rŵan oedd mai Andrew oedd y taid a Joseph yr hen ddewyrth!

Bu'n rhaid imi chwerthin wedyn yng nghanol holl eironi'r sefyllfa. Chydig wythnosa'n ôl, pan ddechreuis i roi'r goeden acha at ei gilydd, roedd gen i Daid Joseph a Nain Gladys. Erbyn rŵan doedd y naill yn ddim mwy na hen ddewyrth tra bod y llall yn perthyn yr un dafn o waed imi. Ac roedd y wybodaeth newydd yma yn fy mhlesio tu hwnt i bob disgwyl. Doedd fawr ryfadd na chafodd fy nhad geiniog yn yr ewyllys. Mab Andrew oedd o, nid Joseph! Onid oedd y teulu wedi ei ddiarddel o, orau allen nhw? Dyna'r rheswm hefyd, mae'n siŵr, pam na chafodd ei fedyddio ag enw beiblaidd fel y gweddill ohonyn nhw! Fel pe bai ots am hynny erbyn rŵan. Os mai pobol fel nhw oedd pobol y Beibil, yna i'r diawl â nhw beth bynnag. Gallwn, fe allwn i gysylltu â'r wasg, wedi'r cwbwl, ac efo'r cwmnïa teledu. Doedd dim byd i'm rhwystro i, bellach.

Braslun o'i fywyd oedd Pennod 5, sef y bennod ola. Andrew *Graves* oedd o erbyn hyn, yn ŵr priod, yn dad i un ferch – Dorothy – a dau fab, sef Ashley a Hayden. Cyfeiriai'n chwerw at wacter a hiraeth y blynyddoedd cynnar, at lythyra i'w rieni na chaed gair o ateb iddyn nhw, at blentyn nas gwelodd erioed ac, mewn nodyn ymyl dalen wedi'i ychwanegu flynyddoedd yn ddiweddarach, at drasiedi fawr ei fywyd pan laddwyd Ashley a Hayden, yn un ar hugain a phedair ar bymtheg oed, mewn tanchwa pwll glo yn Pittsburg, Pennsylvania. Soniai hefyd am yr addewid, a wnaed cyn gadael Lerpwl, i gadw cyfrinach y teulu hyd yr ail genhedlaeth o leia. A dyna felly egluro'r cyfarwyddiada yn ewyllys Dorothy Graves, a sut y daeth y dyddiaduron a'r 'nofel' i 'nwylo i. Ei ddymuniad olaf yn y 'nofel' oedd i rywun, rywdro, fedru clirio'i enw. Hawdd gweld nad oedd yn gwbod dim am helyntion erchyll y *Mersey Dock Strangler*, ac na fyddai enwa fel Joan Gleese ac Eileen McGough, Sinead O'Leary a Carol Fay Dunes wedi golygu dim iddo. Doedd o ddim yn gwbod chwaith am farwolaeth annhymig ei gariad gynt, yn fuan wedi iddi ddod â'i blentyn i'r byd, mwy nag oedd o'n gwbod am y blynyddoedd o garchar anghyfiawn a ddioddefodd Gloria rwbath-neu'i-gilydd, sef y fydwraig a fu'n gofalu amdani yn ystod yr enedigaeth. Ond, diolch i'r adroddiad hwnnw y dois i ar ei draws mewn ôl-rifyn o'r *Daily Post* yn swyddfa'r archifa yn Lerpwl, fe wyddwn i am y cwest a gynhaliwyd ar Nain Gwen, sef 'gwraig gynta' Joseph. Fe wyddwn am yr amheuon ynglŷn â'r modd y bu i Gwen Maredydd waedu i'w marwolaeth. Fe wyddwn am ddyfarniad y Crwner fod achos i'w atab mewn llys barn. Ac er i'r erlynydd yn fan'no fethu â phrofi tu hwnt i bob amheuaeth fod gweithred droseddol wedi cael ei chyflawni yn erbyn Gwen Maredydd, eto i gyd fe gaed dedfryd gytûn gan y rheithgor fod y fydwraig, Gloria Thompson, yn euog o ddiofalwch proffesiynol; blerwch, yn ôl y barnwr, a oedd yn haeddu cosb o dair blynadd o garchar. Doedd neb wedi ceisio achub cam y nyrs druan, am nad oedd fawr o neb bryd hynny yn gyfarwydd â chefndir y briodas a diawledigrwydd

Joseph Cairns. Fe gafodd y barnwr a'r rheithgor eu twyllo; fe gafodd y fydwraig ddiniwad gam. Ac mi gaeodd rhai o deulu'r Cairns eu cega a gadael i betha fod! Ac fel pe bai hynny ddim yn ddigon, fe fuon nhw'n celu holl ddrwgweithredoedd y Joseph gwallgo, o'r naill lofruddiaeth i'r llall. *Fo*, siŵr dduw, nid y nyrs, a laddodd Nain Gwen! Y basdad iddo fo! Ac mi laddodd y Carol Fay Dunes 'na wedyn. A honno oedd yr ola. Pwy ŵyr erbyn heddiw pam y daeth petha i ben efo hi. Falla i'r hen daid Mathew droi tu min, neu hwyrach i rywbeth ddigwydd i Joseph – rhyw salwch, neu ddychryn o bosib – a'i gorfododd i newid ei ffyrdd.

Pan edrychis i ar y cloc, roedd hi'n tynnu at chwech o'r gloch. 'Fe ga i awr neu ddwy o gyntun,' meddwn i wrtha'n hun, 'ac yn y bora fe ffonia i Kate i egluro pob dim iddi. Mi fydd yn ddiddorol gweld sut y bydd hi'n ymatab.'

* * *

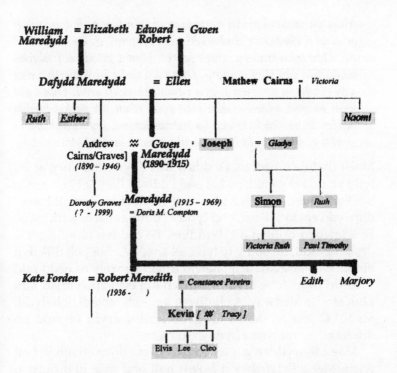

William = Elizabeth   Edward = Gwen
Maredydd   Robert

Dafydd Maredydd   = Ellen   Mathew Cairns - Victoria

Ruth   Esther   Naomi

Andrew   ≈   Gwen : Joseph   = Gladys
Cairns/Graves]   Maredydd
(1890 – 1946)   (1890-1915)

Dorothy Graves Maredydd (1915 – 1969)   Simon   Ruth
(? - 1999)   = Doris M. Compton

Kate Forden = Robert Meredith   = Constance Pereira   Victoria Rush   Paul Timothy
              (1936 -)

                              Edith   Marjory

Kevin [≈ Tracy]

Elvis Lee Cleo

*Tachwedd 9fed: Union wyth deg a phump o flynyddoedd i
heddiw yr hwyliodd fy nhaid – Taid Andrew – am Baltimore ar
yr Anglesey Queen, efo'i galon yn llawn mae'n siŵr gen i.
Hiraeth, pryder, euogrwydd ar y naill law, cyffro a gobaith ar y
llaw arall. Mynd gan wybod bod ei frawd yn llofrudd. Mynd
gan wybod mai fo'i hun, serch hynny, a gâi'r bai.*

Fedra i ddim peidio meddwl mor helyntus ydi petha wedi bod
inni fel teulu. Taid Andrew'n dengyd, Joseph ei frawd yn
llofrudd adnabyddus di-enw, yr hen daid Mathew yn prynu ac
yn gwerthu eneidia, Nain Gwen yn cael ei thrin fel baw ac yn
cael ei rhoi i gysgu fel rhyw anifail di-anwes di-groeso, fy nhad
heb ddefnydd iawn o'i goesa ac yn dial arnon ni i gyd am hynny,

Mam yn meddwl priodi rhyw Harold sy'n fwy na hoff o'i wisgi
ac sydd â'i lygad ar ei phres hi . . . A finna! . . . Be amdana i?
. . . Dyn wedi chwerwi wrth fywyd. Dyn a gafodd ei fradychu
a'i dwyllo gan slwt o wraig. Dyn sy'n dad i fab diwerth a dyn
a fu'n ddigon gwirion i fagu basdad rhywun arall. Dyn sydd
wedi hannar addoli ei Katie ac sydd rŵan yn gorfod diodda
pellter ac anniolchgarwch yr hwran honno. Dyn sydd wedi'i
gorddi gan yr awydd i ddial arni unwaith ac am byth.

Mae'r dyddia'n hedfan. Fe ddaw Mrs T. yn ei hôl fory, ac mi
fydd yn dda ei gweld, pe bai ond i ddod â llais i'r tŷ . . . a sŵn
brws a sugnydd llwch a pheiriant golchi. Mae cymaint wedi
digwydd ers iddi fynd, ond fydd hi ddim callach, wrth gwrs.
Fe adawodd ddigon o rybuddion. Be oedden nhw? Agor y
drysa i'r ardd, fel bod y tŷ 'yn cael anadlu', rhoi pob dilledyn
budur yn y fasgiad olchi, newid dillad y gwely os oedd raid
– doedd dim! A be arall? 'Cofiwch am eich apwyntiad fora
Llun efo Dr Medway. A chofiwch am eich tabledi bob dydd,
Mr C.' O leia mi ddaru mi gofio agor y drysa i'r ardd un
diwrnod! Ac mi wna i hynny eto rŵan.

Mae'r ffawydden goprog yn hollol noeth yn effaith yr holl
wynt. Mae'r Ddyfrdwy'n frown hyll ond mae hi'n cadw o
fewn ei glanna, ac i mi mae 'na ryw swyn deniadol yn ei lli.
Wrth ei hangor, mae'r *Dee Gull* yn siglo'n ddiog ac yn oer a
llysnafedd y dŵr yn fodrwy werdd am ei chanol. Mae'r
ddwy goedan fala a'r coed rhosod yn fwy llwm heddiw nag
oedden nhw hyd yn oed ar ôl i Hugh eu tocio. Mae'r lawnt
hefyd yn wyrdd gwlyb trwm, fel pe bai hi'n crio ar ôl iddo'i
thorri. Uwchben, mae'r cymyla cenllysg yn cael eu gyrru'n
ddidrugaradd tua'r gorllewin, i bentyrru'n isal dros
fynyddoedd Cymru. Mae'n gas gen i wynt y dwyrain!
Gwynt oer, digysur ydi o. Ac mi fydd o efo ni'n hir.

Ond drwy'r cwbwl, mae 'na un llygedyn bach o liw ac o
obaith. Er gwaetha'r pridd llac o'i gwmpas, mae 'na un llwyn

bychan o'r grug wedi ailwreiddio digon i flodeuo'n wyn. 'Bloda ryw ben o bob blwyddyn, hyd yn oed ganol gaea.' Onid dyna addewid y dyn a werthodd imi'r planhigion? Ac fel yr hen Andrew Cairns – fy Nhaid Andrew! – mae ynta hefyd wedi cadw'i addewid ac wedi rhoi imi dipyn o liw dros gochni pridd yr ardd gerrig. Grug gwyn ym mis Tachwedd. Arwydd o'r eira sydd ar ddod? Arwydd o'r oerni hefyd sy'n perthyn i'r lle.

Dwn i ddim be ydi lol Mrs T. ynglŷn ag awyr iach. Y gwir ydi fod 'na beth cythral mwy o gysur yn y tŷ pan mae pob drws a ffenast wedi'u cau.

Lle mae *hi* rŵan, os gwn i? Yn ei gwaith? Go brin. Yn galaru? Yn difaru iddi fy nhwyllo fi erioed? Na, mae'n rhy fuan braidd i beth felly. Ond mi oedd sŵn dychryn yn ei llais ben bora pan gododd hi'r ffôn. 'Helô? . . . Helô! . . . Helô! Pwy sy 'na? Colin? Chdi sy 'na?' Hy! A dyna'i enw! Mae galwad am chwartar i saith yn y bora yn ddigon i gynhyrfu unrhyw un.

Yn holl gyffro'r hyn a fu yn ystod y nos, methu cysgu'n ôl wnes i. Ar ôl troi a throsi am rai munuda, roeddwn i wedi codi a gwisgo ac wedi mentro allan i'r ddinas i chwilio am giosg ffôn. Nid yr un ar gyrion Parc Grosvenor. Roedd yr atgofion am fan'no yn rhy boenus gen i, a maen nhw'n dal i fod. Wedi gwrando ar ei holi, wnes i ddim byd ond anadlu'n ddigon trwm iddi wbod bod rhywun ar ben arall y lein o hyd, ac yna, wrth imi synhwyro ei bod yn barod i roi terfyn ar yr alwad, dyna sgyrnygu'r gair 'Bits!' drwy fy hancas bocad. Ac wedyn, 'Hwran!' Fedar hi na neb arall brofi dim!

Mae fy ffôn i yn canu rŵan! Chwartar i hannar dydd! Pwy gythral all fod yna? 'Helô? Robert Cairns yn siarad.'

'Be wyt ti'n neud yn fan'na?'

Mae'r llais yn weddol gyfarwydd ond alla i ddim rhoi gwynab iddo fo. 'Cwestiwn gwirion! Yn fa'ma dwi'n byw! Pwy sy'n siarad?'

'Wyddost ti ddim pwy sy 'ma?'

Pwy bynnag ydi hi, mae hi'n chwara gêm efo fi. 'Mi ddylwn wbod. Nid Mrs T?'

'O! A phwy ydi Mrs T? Y *fancy woman* ddiweddara?'

Llais chwerthin sydd ganddi ond does gen i fawr o amynadd.

'Pwy ddiawl sy 'na?'

'O! Ro'n i wedi disgwyl gwell croeso . . . ' Mae hi'n dal i wamalu. ' . . . gan fy mrawd i fy hun!'

'Marjory? Edith?'

Swn chwerthin rŵan. 'Iawn tro cynta. Marjory.'

Mae'n rhaid imi ddeud, dwi'n hynod falch o glywad ei llais. Dydw i ddim wedi siarad llawar efo'r un o'r ddwy ers dwy flynadd neu fwy. Ac mae dwywaith hynny, o leia, ers imi weld yr un ohonyn nhw. 'Wel, wel! Mae'n dda clywad dy lais di. Sut mae petha tua Peterborough 'na? Fan'no rwyt ti o hyd, dwi'n cymryd?' Yn y cefndir dwi'n clywad swn chwerthin uchal a siarad, fel pe bai 'na barti hwyliog yn mynd ymlaen.

'Ia . . . a nage.'

'Dyro'r gora i dy rwdlan! Be wyt ti'n feddwl?'

'Ia, yn Peterborough rydw i'n dal i fyw o hyd . . . ond nage, nid yn fan'no ydw i rŵan.' Eto'r hyrddiada o chwerthin fel pe bai cwmni ohonyn nhw'n mwynhau jôcs da.

Rydw i ar goll. 'Be wyt ti'n feddwl? Lle bynnag wyt ti, mae digon o swn hwyl yna beth bynnag.'

'Pam gythral na fasat ti yma efo ni ta?' Mae'r chwerthin wedi mynd o'i llais ac mae'r cwestiwn yn disgwyl atab.

'Be wyt ti'n feddwl? Lle uffar wyt ti?'

'Yn fan hyn, efo Edith . . . a Mam . . . a Harold! Pam ddiawl nad wyt ti yma, y cachwr! Roedd hi'n dy ddisgwyl di, ac rwyt ti wedi rhoi cythral o siom iddi.'

Y briodas! Damia! Ro'n i wedi anghofio pob dim. 'Damia unwaith! Mi anghofis i bob dim. Ro'n i wedi bwriadu bod yna. Ro'n i wedi gaddo.'

'Anghofio?' Mae hi'n gneud sŵn fel pe bai hi ddim yn fy nghoelio. 'Sut uffar fedrat ti anghofio priodas dy fam dy hun?'

'Y diawl sâl!' Llais arall yn torri ar draws y sgwrs.

'Pwy sy 'na? Edith?'

'Sut fedrat ti anghofio?'

Yn ôl ei llais mae hi wedi cael wisgi neu ddau, ac mae hi newydd golli jôc dda, a barnu oddi wrth y don arall o chwerthin yn y cefndir.

'Gwrandwch!' Dwi'n cymryd bod y ddwy yn gwrando. 'Deudwch wrth Mam fod yn gythral o ddrwg gen i, ond ro'n i wedi bwriadu dod i'r briodas. Ar fy llw! Ond doedd hi ddim yn disgwyl i'r un ohonoch chi ddod.' Ro'n i'n methu credu fod Edith wedi dod yr holl ffordd o Aberdeen, a Marjory o Peterborough.

'Wyddai hi ddim, siŵr dduw! Syrpréis oedd o. Uffar dân, Robert! Mae hi'n haeddu cymaint â hynny! A mi *oedd* o'n syrpréis iddi, coelia di! Ond mi daflist ti ddŵr oer ar y cyfan, mwya'r cwilydd iti.'

Dwi'n teimlo'n uffernol. 'Gwranda . . . Efo pwy dwi'n siarad rŵan? Edith? . . . Gwranda Edith! Deud wrth Mam fy mod i ar fy ffordd. Mi fydda i yna o fewn yr awr, dwi'n gaddo . . . Wnei di ddeud wrthi?'

'Iawn.' Sŵn cyndyn sydd yn ei llais. 'Ond paid â'i siomi hi eto, wir dduw.'

Pam gythral na fasa rhywun wedi f'atgoffa i yn ddigon buan am y blydi briodas? Os cychwynna i rŵan, siawns y bydda i yno cyn diwadd y dathlu. O uffar dân! Pwy sy 'na rŵan, eto fyth?

Nid yn unig y mae'r gloch yn canu ond mae 'na rywun yn dyrnu'n ddiamynadd ar y drws hefyd. 'Olreit! Olreit! Dwi'n dŵad!'

'Mr Cairns! Fel y gwelwch chi, rydan ni'n ôl.'

Fedra i mo'i atab o. Mae jyst gweld y ddau wedi mynd â 'ngwynt i.

'Ditectif Inspector Holloway a Ditectif Sarjant Fields. Mi rydach chi'n cofio?'

'Ar gychwyn allan oeddwn i.' Prin y gallan nhw glywad fy llais i, dwi'n siŵr, ond mi allan glywad fy nghalon i'n curo. 'Dwi ar gychwyn am Hoylake. Mae Mam . . . ' Choelian nhw ddim! 'Dydi Mam ddim yn ryw dda iawn.'

'Mae'n ddrwg gen i, Mr Cairns, ond fyddwch chi ddim yn mynd i Hoylake heddiw, nac i unman arall chwaith, heblaw i orsaf yr heddlu efo ni . . . '

Mae o'n amlwg yn disgwyl imi ddeud rwbath ond fedra i ddim.

' . . . Fe gawsoch eich rhybuddio gen i y tro dwytha inni fod yma, os cofiwch chi. Fe ddeudis i bryd hynny pe baen ni'n cael cwyn arall yn eich cylch gan Miss Katherine Forden, mai yn swyddfa'r heddlu y byddech chi'n cael eich croesholi y tro nesa. Wel, mae'r gŵyn honno wedi cael ei gneud ac mae'r tro nesa hwnnw wedi cyrraedd. Ewch chi i nôl eich côt os gwelwch yn dda.'

Dwi'n ufuddhau fel oen bach, am na wn i be arall i'w neud na'i ddeud. 'Ond . . . ond . . . Mam?'

'Mi gewch gyfle i ffonio'ch twrna gynted inni gyrraedd.'

* * *

' . . . Mae hi nawr yn . . . ' Craffodd ar ei wats. ' . . . ddeng munud wedi tri, bnawn dydd Mawrth y nawfed o Dachwedd. Yn bresennol yn y stafell, mae Robert Meredith Cairns, ei gyfreithiwr Mr Mervyn Lloyd Fletcher, Ditectif Sarjant Fields, Ditectif Arolygydd Conway a Ditectif Inspector James Holloway. Inspector Holloway fydd yn croesholi . . . '

Fedra i ddim credu fy mod i yn y fath sefyllfa; fy mod i wedi cael fy nghipio mor ddirybudd o 'nghartra a 'mod i rŵan yn cael fy nhrin fel rhyw ddrwgweithredwr peryglus,

154

a hynny yng ngŵydd Charles Conway o bawb. A'r ddau ohonon ni'n perthyn i'r un lòj! Fedra i ddim credu chwaith na cha i ffonio Mam i egluro iddi lle'r ydw i.

'Un alwad a ganiateir ichi, Mr Cairns, a rydach chi wedi cael honno'n barod, i gysylltu efo'ch cyfreithiwr. Rŵan, a fyddwch cystal ag egluro pa mor dda ydach chi'n nabod Miss Katherine Forden?'

Dwi'n edrych ar Mervyn am gymorth ond y cwbwl dwi'n gael gan hwnnw ydi pâr o lygada sy'n awgrymu bod yn rhaid imi atab.

'Fel roeddwn i'n sôn wrthoch chi o'r blaen, Inspector, fe gafodd Miss Forden ei hapwyntio'n ysgrifenyddas breifat i mi rhyw ddeunaw mis yn ôl.'

'O! A be oedd enw'r cwmni oedd yn ei chyflogi?'

Be sy ar y dyn? Mae o'n gwbod y petha 'ma'n barod. 'Maxim Electrics.'

'A phwy oedd yn ei hapwyntio? Ai chi, yn bersonol?' Mae 'na ryw hunansicrwydd yn ei ffordd bryfoclyd o chwara efo'i fwstás rhwng bys a bawd.

'Wrth gwrs.'

'A be fyddech chi'n styried yn gymwystera angenrheidiol ar gyfer y swydd honno, Mr Cairns?'

'Pob math o betha, ond profiad yn benna. Y gallu, wrth gwrs, i godi nodiada yn gywir, i lunio llythyra, i gyfathrebu'n rhwydd efo pobol . . . '

'Teipio?'

'Wrth gwrs.'

'Llaw fer?'

'Ddim o angenrheidrwydd.'

'Ond yn gymhwyster defnyddiol, mae'n siŵr gen i?'

'Ydi.'

'A faint ddaru ymgeisio am y swydd?'

'Oes 'na bwrpas i'r holi yma, Inspector?' Mervyn Lloyd Fletcher sy'n trio arbad chydig arna i.

155

'Wrth gwrs.' Mae'n rhoi'r argraff o ddiystyru Mervyn. 'Wel, Mr Cairns?'

'Roedd 'na dair ar y rhestr fer.'

'A faint o ymgeiswyr yn wreiddiol?'

'Bobol bach! Dydach chi rioed yn disgwyl imi gofio?' Mae ei gwestiwn afresymol wedi rhoi lle imi fod dipyn bach mwy hyderus ac ymosodol.

'*Tua* faint, 'ta? Deg? Pymtheg? Hanner cant? Cant a hanner?'

Mae ei wamalrwydd yn mynd o dan fy nghroen i. Dyna'i fwriad, mae'n siŵr. 'Rhyw naw os dwi'n cofio'n iawn.'

'A faint o'r rheini oedd â'r cymwystera angenrheidiol?'

Dwi'n gollwng ochenaid swnllyd i ddangos mor afresymol ydi'i gwestiyna fo.

'Does dim disgwyl i Mr Cairns gofio manylion fel'na, Inspector. Ddim ar ôl yr holl amser.'

'Wel gadewch imi atgoffa Mr Cairns 'ta . . . ' Mae o'n ymestyn at ddalen o bapur ar y ddesg o'i flaen, ac yn dechra darllan ohoni. 'O'r naw ymgeisydd gwreiddiol roedd chwech, a dau ddyn ymysg rheini, yn gallu teipio hyd at gant ac ugain o eiria'r funud. Oedd Miss Forden yn un o'r chwech, Mr Cairns?'

'Bobol bach! Dydw i ddim yn cofio.'

'Na. Ro'n i'n meddwl na fasech chi ddim yn cofio. Be am law fer 'ta? Faint ohonyn nhw oedd â'r cymhwyster hwnnw?' Gan ei fod yn amlwg yn disgwyl yr un math o ymatab negyddol gen i, mae'n mynd ymlaen i roi'r manylion ei hun. ' . . . Pedwar. Dim ond pedwar o'r naw oedd yn medru llaw fer. A doedd Miss Forden ddim yn un o'r rheini chwaith. 'Dach chi'n gweld, Mr Cairns, yn ffodus iawn o'n rhan ni, roedd y rhestr gyflawn o ymgeiswyr ynghyd â'u cymwystera yn dal ar ffeil gan gwmni Maxim Electrics. Rŵan fyddech chi'n fodlon deud pam y penderfynsoch chi apwyntio Miss Katherine Forden i'r swydd?'

'Am fy mod i'n credu mai hi fyddai'r ora i'r job, wrth gwrs.'

'Wrth gwrs! Ac ar ba sail ddaru chi benderfynu hynny?'

'Ar sail y cyfweliad, be arall?'

'Ac ar ba sail ddaru chi benderfynu *peidio* rhoi cyfweliad i'r ymgeiswyr eraill 'ta? Mr Tony Osborne, er enghraifft? Roedd o yn un o'r rhai oedd yn gallu cynnig teipio cyflym a llaw fer. Pam na chafodd o gyfweliad?'

Dwi'n gweld ei drywydd yn iawn, ond be fedra i ddeud?

'Ydi o ddim yn wir, Mr Cairns, mai tair merch oedd ar y rhestr fer? A bod dwy o'r rheini, gan gynnwys Miss Forden, yn methu cynnig na theipio na llaw fer fel cymhwyster?'

'Roedd Miss Forden yn dda iawn ei gwaith.' Dwi'n sylweddoli mor wan ydi'r atab. 'Ac fe gafodd hi air da iawn gan ei chyn-gyflogwr yn Stoke-on-Trent.'

'O! Dwi'n gweld bod rhai manylion, o leia, wedi aros yn glir iawn yn eich cof.'

Damia'i liw o! 'Be ydi pwynt hyn i gyd?'

'Mae Miss Forden, wrth gwrs, yn wraig ifanc ddeniadol iawn.'

'Roedd y ddwy arall hefyd.'

'Wrth gwrs. Onid dyna pam eu bod nhw ar y rhestr fer? Ond dim ond un o'r dair y gallech ei phenodi, gwaetha'r modd, yn de?'

'Dwn i ddim be 'dach chi'n drio'i awgrymu am fy nghleient, Inspector . . . '

'Nid awgrymu ydw i o gwbwl, Mr Lloyd Fletcher, ond deud. Y cymhwyster pwysica, cyn belled â bod eich cleient yn y cwestiwn, oedd bod yn ferch, a honno'n ferch hawdd edrych arni, ac yn un fasa'n debygol o ymateb yn ffafriol i'r sylw a gâi hi gan Mr Cairns.'

'Ylwch yma! . . . '

'Ylwch chi yma, Mr Cairns! Mae 'na gyhuddiad difrifol wedi cael ei neud i'ch erbyn chi. Difrifol iawn hefyd. Fy nghyngor i i chi ydi, eich bod chi'n cydweithredu ymhob ffordd bosib efo'r heddlu yn yr ymchwiliad yma. Mi ddaw petha'n haws ichi wedyn, yn siŵr o fod. Rŵan, fe gafodd Miss Forden ei phenodi gynnoch chi am eich bod wedi cymryd ffansi cry ati, ond ddaru petha ddim gweithio fel roeddech chi wedi bwriadu yn naddo? Doedd gan Miss Forden ddim diddordeb o gwbwl ynoch chi . . . '

'Pwy sy'n deud?'

'Ydach chi'n honni'n wahanol? Ddaru hi roi lle ichi gredu fod ganddi ddiddordeb ynoch chi fel dyn? Fel carwr falla? Fuodd 'na ryw fath o gyfathrach rhyngoch chi a Katherine Forden?'

'Be mae hi ei *hun* wedi'i ddeud wrthoch chi?'

'Hitiwch chi befo be ddeudodd Miss Forden. Be 'di'ch stori chi sy'n bwysig i ni rŵan.'

Be ddeuda i? Mae disgwyl imi ddeud rwbath! 'Wel, mi fuon ni allan efo'n gilydd fwy nag unwaith.'

'Tu allan i oria gwaith?'

'Ia.'

'A be ddigwyddodd?'

'Be 'dach chi'n feddwl?'

'Lle aethoch chi â hi? Allan am fwyd?'

'Wrth gwrs.'

'A wedyn? . . . Be wedyn?'

'Rhaid imi brotestio ynglŷn â'r holi yma, Inspector. Does gynnoch chi ddim hawl i wybodaeth mor bersonol.'

'Mae gen i bob hawl yn yr achos yma, Mr Lloyd Fletcher.'

Mae ganddo ffordd o neud i gyfenw dwbwl Mervyn swnio'n rhywbeth crachlyd.

'Wel, Mr Cairns? Ydach chi am ateb 'ta be? Fuodd 'na berthynas rywiol rhyngoch chi a Katherine Forden?'

'Wel . . . do.' A dyna'r penderfyniad wedi'i neud. Does dim troi'n ôl rŵan.

'A *Mrs* Cairns? Oedd *hi'n* gwybod am yr affêr?'

'Roedd fy ngwraig wedi fy ngadael i ymhell cyn hynny, ac wedi mynd 'nôl i America i fyw.'

'Mi gawn ni weld am hynny. Ac i ble yn America aeth hi?'

'Ym . . . Duw a ŵyr! At ei chwaer ddeudodd hi, ond roedd yn fwriad ganddi brynu tŷ iddi'i hun, rwla yn . . . ym . . . Philadelphia.'

'O? Ro'n i'n meddwl mai Chicago ddeudsoch chi, y tro dwytha imi'ch holi chi.'

Mae o'n edrych ar y sarjant ac mae hwnnw'n nodio'n ddoeth. Mae'n amlwg eu bod nhw'n trio 'nghornelu fi.

'Ddeudis i mo'r fath beth. Soniais i erioed am Chicago. I Philadelphia ddeudodd Constance yr oedd hi am fynd, ond fedra i ddim bod yn siŵr, wrth gwrs, os mai i fan'no'r aeth hi.'

'Does gynnoch chi ddim cyfeiriad iddi felly? Ydi hi wedi trio cysylltu efo chi o gwbwl, ers iddi fynd yn ôl?'

'Naddo.'

'Be am ei chwaer hi 'ta? Oes gynnoch chi gyfeiriad iddi *hi*?'

'Nagoes. Mae honno'n byw tu allan i Boston . . . yn y wlad yn rwla.'

'O! Bechod!'

'Be? Bechod ei bod hi'n byw allan yn y wlad?' Dwi'n trio gwenu.

'Go dda rŵan, Mr Cairns! Nage. Bechod nad oes gynnon ni *gyfeiriad* iddi roeddwn i'n feddwl wrth gwrs. Ond hwylus iawn i chi, falla.'

'Be 'dach chi'n feddwl?'

Ond mynd ymlaen mae o, fel pe bai o heb glywad fy nghwestiwn. 'Felly rydych yn deud ar eich llw fod perthynas rywiol wedi bod rhyngoch chi a Miss Katherine Forden?'

Deud ar eich llw! Y diawl cyfrwys! Dydw i ddim wedi cymryd unrhyw lw i ddeud gwir na chelwydd, ac mae o'n gwybod hynny'n iawn. Ond mae o wedi'i ddeud o mor

159

rhwydd, mewn ffordd mor naturiol o siarad, fel ei fod cystal ag awgrymu fy mod i eisoes ar fy mhrawf. Does gen i ddim dewis ond deud, 'Do.'

'Un cwestiwn arall, Mr Cairns. Pa mor dda ydach chi'n nabod Mr Colin Ford?'

'Dydw i ddim yn ei nabod o o gwbwl. Mae'r enw'n gwbwl ddiarth imi.' Am unwaith mi fedra i fod yn hollol onast.

'Ydach chi'n siŵr?'

'Wrth gwrs 'mod i'n siŵr.'

'Welsoch chi rioed mo Mr Ford yng nghwmni Katherine Forden? Dyn tal, efo gwallt hir.'

'O! Do, mi welis i rywun felly yn ei chwmni hi unwaith. Ond dydach chi ddim yn disgwyl imi wbod enw pob stalwyn sy'n cael rhannu'i gwely hi.' Damia unwaith! Ddylwn i ddim bod wedi deud hyn'na. Ddylwn i ddim bod wedi noethi fy nheimlada.

'Stalwyn, Mr Cairns? Pam ddaru chi ddefnyddio gair fel'na i ddisgrifio cariad Miss Forden?'

'Cariad? Hy! Sawl cariad sydd ganddi hi felly?' Dwi'n teimlo llaw Mervyn ar fy mraich, yn gneud ei ora i'm darbwyllo, ond mae'r drwg wedi'i neud.

'O wrando arnoch chi, mi allsa rhywun feddwl bod Miss Forden yn . . . Be ddeudwn ni? . . . yn hael efo'i ffafra. Ai dyna oeddech chi'n awgrymu? Ai trio deud ydach chi, falla, ei bod hi'n . . . hwran?'

Ha! Mae o wedi oedi digon i awgrymu pam y mae o'n defnyddio'r gair.

'Dydw i'n deud dim byd o'r fath.'

'O! Mae'n dda gen i. Hen air hyll ydi o'n de? Ond mae o wedi cael ei ddefnyddio'n amal iawn dros y ffôn yn dydi?'

'Dwi'n gwbod dim byd am hynny.'

'Nac ydach, wrth gwrs.' Ond mae'n amlwg nad ydi o'n fy nghoelio. 'Fe gawn ni gyfla i siarad mwy am betha felly eto, dwi'n siŵr. Ond ga i ofyn pryd welsoch chi Colin Ford ddwytha?'

Uffar dân! Be mae o'n wbod? 'Ei weld o? Be 'dach chi'n feddwl?'

'Yn union be dwi'n ddeud, Mr Cairns. Pryd welsoch chi Mr Ford ddwytha? Fuodd o'n eich gweld chi o gwbwl? Ynglŷn â galwada ffôn maleisus, er enghraifft?'

'Ylwch yma, Inspector! Be uffar 'dach chi'n awgrymu? Fy mod i'n gneud galwada dienw?'

'Maleisus oedd y gair a ddefnyddiais i, Mr Cairns. Be wnaeth ichi feddwl eu bod nhw'n rhai dienw hefyd?'

Damia! Mae'r diawl fel sliwan o lithrig! 'Twt! Mae'n gwbwl amlwg be 'dach chi'n ei awgrymu.'

'O! Deudwch chi! Ond be am Mr Colin Ford? Fuodd o'n eich gweld chi o gwbwl?'

'Welis i mo'no fo. Ond dydi hynny ddim yn rhyfadd, Inspector. Chydig iawn fydda i adra yn ystod y dydd, beth bynnag.'

'O? A lle fyddwch chi'n mynd, felly?'

'Does wybod. Mi fydda i'n treulio llawar o amsar yn stafall yr archifa yn Lerpwl a Phenbedw.'

'Felly'n wir! Yn lle mae'r llefydd hynny deudwch?'

Aros di, mêt! Dwi'n barod amdanat ti rŵan! 'Yn Lerpwl? Ar y trydydd llawr o'r llyfrgell yn William Brown Street. Drws nesa, fwy neu lai, i St George's Hall. Mae'r llyfrgell ym Mhenbedw ar Borough Road. Mi fasan nhw wedi medru gneud efo help rhai 'fath â chi yn fan'no y diwrnod o'r blaen . . . '

'O?'

'Mi ddaeth 'na ddrygi lloerig i mewn i'r llyfrgell a bygwth pawb efo cyllall. Mi ffoniwyd am blismyn ond ddaeth 'run. Ond dyna fo, fel y deudodd rhywun ar y pryd, dydach chi byth ar gael pan mae'ch gwirioneddol angan chi.' Dyro hon'na yn dy getyn, mêt! Dwi'n gweld ei lygada fo'n culhau wrth i'r saeth gyrraedd ei nod.

'Sut bynnag, welsoch chi mo Mr Ford ddoe, felly.' Sŵn cadarnhau yn hytrach na gofyn rŵan, ac mae o'n chwara efo'i fwstás eto. 'Cyn inni orffan y cyfweliad, falla y carech chi wybod fod Mr Colin Ford a Miss Katherine Forden wedi bod yn byw efo'i gilydd fel gŵr a gwraig am flynyddoedd lawer pan oedd hi'n gweithio yn Stoke-on-Trent, a'u bod nhw wedi ailgymodi'n ddiweddar. Dwi'n deud hyn wrthoch chi rhag ofn ichi fod o dan unrhyw gamargraff ynglŷn â'r berthynas rhyngddyn nhw.'

Rhoi sioc imi oedd ei fwriad, a mae o wedi llwyddo. Hwn, felly, oedd y Colin ddaru'i gadael hi ar y clwt yn Stoke! Hwn oedd y cariad y soniodd hi wrtha i amdano; y cachwr a wnaeth dro sâl efo hi gan beri iddi ddod i Gaer i chwilio am waith.

'Dwi'n gweld eich bod yn sylweddoli rŵan am bwy rydw i'n sôn, Mr Cairns. Felly, mi ofynna i'r cwestiwn eto – Fuodd Mr Ford i'ch tŷ chi, ddoe, i'ch gweld?'

'Dydw i ddim wedi gweld y dyn.'

'Hm! Dyna fo, 'ta. Mae'r cyfweliad ar ben, am y tro.' Mae'n edrych eto ar ei wats, cyn ailadrodd er budd y peiriant recordio, 'Mae'r cyfweliad efo Robert Meredith Cairns yn dod i ben am ddeuddeng munud i bedwar.'

Dwi'n methu ymatal rhag ochenaid o ryddhad, ac mae ynta'n ei chlywad hi.

'Wrth gwrs, mi fydd raid ichi aros yma heno, Mr Cairns.'

'Be?' Alla i ddim credu 'nghlustia. 'Mewn cell?'

Mae Mervyn Lloyd Fletcher wedi neidio i'w draed i brotestio ond mae'n eistedd eto wrth i'r Inspector godi'i law i'w dawelu. Be uffar wnaeth imi ofyn i Mervyn, o bawb, fy nghynrychioli? Rhyw blydi gwlanan o rwbath ydi o. Mi fydd raid imi gael rhywun gwell, a hynny'n fuan.

'Does gynnon ni ddim dewis, mewn achos mor ddifrifol. Mae gynnon ni'r hawl i'ch cadw chi am wyth awr a deugain os liciwn ni. Gobeithio na fydd raid, wrth gwrs!'

Mae ei wên ffals yn fy nychryn. Fedra i ddim cael y ffaith o 'mhen mai union wyth deg a phump o flynyddoedd i heddiw yr hwyliodd Andrew Cairns, fy nhaid, allan o Lerpwl.

* * *

Os na chysgis i echnos mewn gwely cynnas a chyfforddus, yna bach iawn oedd y gobaith am orffwys yn y gell foel yma neithiwr. Mae hi rŵan yn tynnu am saith o'r gloch y bora a dydw i wedi gneud dim ond troi a throsi gydol yr oria tywyll. Mae hi'n dal yn dywyll oer o hyd, o ran hynny, ond am yr un bylb trydan a gafodd ei oleuo bum munud yn ôl.

Sôn am noson gythryblus! Ers oria, mae fy mywyd i wedi bod yn gwibio'n hunllefus trwy fy mhen, drosodd a throsodd, nes gneud imi sylweddoli mor ofer, mor ddibwrpas ydi pob dim. Hyd yn oed bywyd ei hun! Dydi o mond fel ddoe pan oeddwn i'n swatio mewn ofn wrth i Nhad fynd trwy'i betha, neu'n gwylio'n ddagreuol wrth i'w arch dlawd gael ei chario allan o'r tŷ. Ddoe roeddwn i'n gwibio trwy strydoedd cefn Bootle ar gefn beic siop Carltons. Ddoe roedden ni'n sgrechian ein hwyl ar y *Grand National* yn Blackpool ac yn rhyfeddu at gampa Stanley Mathews a chyflymdra Billy Liddell ar asgelloedd Bloomfield Road. Mae gwyneba ifanc Fred Carson a Jimmy Walsh, Mathews Bach a'r lleill . . . a Whitey hefyd . . . wedi bod efo fi drwy'r nos. Mae Whitey druan wedi hen fynd, a phwy ŵyr be 'di hanas y lleill. Falla mai llwch ydyn nhwtha hefyd erbyn heddiw. Dyddia dyn sydd fel glaswelltyn! Duw a ŵyr pam y mae rhywun yn cael ei roi ar y ddaear 'ma o gwbwl. I be? I ddiodda siom? I ddiodda amheuaeth a gwg? I gael ei sarhau a'i gam-drin? *Pwy all reoli Ffawd?* Ai Othello bia'r geiria? Maen nhw jyst y math o beth fasa fo *wedi*'i ddeud! Digon pethma ydi Ffawd wedi bod efo fi, beth bynnag, fel pe bai hi'n gneud hwyl am fy mhen i. Ia, benywaidd ydi Ffawd, wrth gwrs! A phwy all reoli benyw byth! Be roddodd hi i mi erioed? Llofrudd a basdad o daid nad *oedd* o'n daid . . . ast o nain nad *oedd* hi'n nain . . . tad oriog, brwnt a mam hunanol sydd wedi byw'n bedwar ugain ac wedi gneud ffŵl ohoni'i hun trwy gymryd gŵr newydd! . . . slwt o wraig a hwran o gariad. Does ryfadd bod y nos yn dal yn fy mhen. *'I am a man more sinn'd against than sinning.'* Mi fedra inna, fel Lear, ddeud yr un peth. Na, dydi'r byd ddim wedi bod yn deg efo fi, yn reit siŵr. 'Ti'n ddiawl lwcus!' Choelia i byth nad ni oedd yn iawn, wedi'r cyfan, flynyddoedd yn ôl. Mae Whitey allan o'i boen, o leia, a ŵyr o ddim bellach be ydi unigrwydd na chasineb na gwacter ystyr. Ŵyr o ddim chwaith be ydi gwaelodion anobaith. *'We are the playthings of the stars.'* King Lear eto! Dwi'n gwbod, oherwydd mi fyddai Harry Cobden, y pen bach hwnnw yn y Blue Coat Chambers ers talwm, yn dyfynnu'r geiria'n amal, jyst i brofi ei fod o'n gwbod 'i Shakespeare. A gyntad ag y bydda fo'n agor ei geg, mi fyddai'r hen Annie rwbath-neu-i-gilydd yn ei atab efo'i chlyfrwch Shakespearaidd ei hun – *'Like flies to wanton boys are we to the gods. They kill us for their sport.'* Hen fyd annheg fel'na ydi o ac mi fasa hi'n braf cael cefn arno fo. Cael cysgu'n drwm drwm a pheidio deffro byth. Mae cwsg, wedi'r cyfan, yn medru cynnig cymaint yn dydi. *'O gentle sleep, Nature's soft nurse.'* Harry Cobden eto! Shakespeare hefyd, falla.

Y peth ola cyn iddo fo adael neithiwr, mi wrthododd yr inspector imi fynd adra i nôl fy nhabledi. Dydi peth *felly* ddim yn iawn!

* * *

Yn ôl cloc y pasej tu allan, mae hi rŵan yn ddau o'r gloch ar ei ben. Newydd fynd â 'mhlât cinio llawn i o'ma mae'r twlc o blismon sych – PC 321!

Chwartar i ddeg y bora oedd hi pan ddaeth Charles Conway i 'ngweld i. Ond gwisgo'i het *Detective Superintendent* roedd o eto heddiw, oherwydd roedd ynta, fel y Twlc, ofn gwenu, a chymerodd y basdad ddim arno o gwbwl ein bod ni'n dau yn arfar cwarfod yn rheolaidd yn y lòj. Ffrindia tywydd braf – Blydi *fair weather friends*! Dyna fu gen i erioed.

Mi feddyliais mai am fynd â fi i'r stafall groesholi roedd o, ond 'Mr Cairns . . . ' medda fo. *Mustyr!* Yr uffar ffurfiol! ' . . . mae'n rhaid imi'ch hysbysu chi fod gennym warant i chwilio'ch tŷ ac y byddwn ni'n gneud hynny bore 'ma.'

Mi roddodd sioc a dychryn imi ac mi driais brotestio cyn gryfad ag y gallwn i. Ond yn ofer. Roedd goriad y tŷ, yn ogystal â phob peth arall oedd gen i yn fy mhocedi ddoe, pan arestiwyd fi, yn eu meddiant *nhw* rŵan. Felly, be fedrwn i ei neud na'i ddeud? Uffar dân! Mae petha'n mynd yn dduach. Be ddiawl sy o 'mlaen i?

* * *

Rhaid 'mod i wedi slwmbran rhywfaint yn fy mlindar oherwydd fe ges fy neffro gan rywun yn f'ysgwyd gerfydd fy mraich. 'Tyrd! Mae Inspector Holloway isio gair.' 321, y Twlc mewn iwnifform oedd yno, yr un a ddaeth â chinio imi, *a* mynd a fo o'ma wedyn!

Dim ond Holloway oedd wrth fwrdd y stafall pan gyrhaeddson ni ond fe arhosodd 321 ar ochor fewn y drws, yn dyst i'r croesholi. Ymhen chydig eiliada fe ddaeth sŵn curo ysgafn a cherddodd Mervyn Lloyd Fletcher i mewn. Cyn eistedd, trawodd law ddi-fudd o gysur ar fy ysgwydd.

Ar ôl cyhoeddi'r manylion angenrheidiol i glust y peiriant recordio, 'Mr Cairns,' meddai Holloway, a'i wynab yn llawar mwy difrifol ac yn llawar mwy calad rŵan nag roedd o ddoe, 'dwi am ofyn ichi un waith eto be oedd natur eich perthynas chi efo Miss Katherine Forden. Ydach chi'n glynu at eich stori fod cyfathrach rywiol wedi bod rhyngoch chi?'

Fedrwn i neud dim ond nodio 'mhen.

'Er mwyn y tâp, wnewch chi ateb os gwelwch yn dda? Fu cyfathrach rywiol o gwbwl rhyngoch chi a Miss Forden?'

'Do.'

'Yn uwch, plîs.'

'Do.'

'Faint ydi'ch oed chi, Mr Cairns?'

Be uffar oedd gan hynny i'w neud â dim? 'Pam?'

'Rydach chi'n chwe deg a dau. Ac mae Miss Forden yn ddeugain! Be, meddach chi, fasa wedi denu merch ifanc, brydferth fel hi at rywun . . . Be ddeudwn ni? . . . gymaint yn hŷn na hi?'

Y diawl digwilydd! Mi wyddwn i'n iawn be oedd o'n drio'i ddeud. Rhywun hen, di-siâp, moel ei ben bron, efo llond ceg o ddannadd gosod. Ond nid cwestiwn i'w atab oedd hwn chwaith, oherwydd fe aeth yn ei flaen.

'Wel rŵan, yn ôl be ddeudsoch chi yn eich tystiolaeth ddoe, mi fu Miss Forden a chitha allan i ginio unwaith neu ddwy, a dyna'r cwbwl. Lle, felly, y digwyddodd y gyfathrach rywiol 'ma?'

Be fedrwn i'i ddeud? 'Be 'dach chi'n feddwl?'

'Mae'r cwestiwn yn un digon syml. Ymhle y cawsoch chi'r gyfathrach arbennig 'ma efo Miss Forden? Yn y car? Yn eich tŷ chi? Yn ei fflat hi? Mewn gwesty? Lle fyddech chi'n arfer cwarfod?'

Doedd gwynab Mervyn Lloyd Fletcher yn cynnig dim help.

'Yn . . . yn y tŷ.'

'Eich tŷ chi? Unlle arall?'

'Hwyrach, ond fedra i ddim cofio ar y funud.'

'Ddim yng nghoedwig Delamere, er enghraifft? Ddim ar fynyddoedd y Berwyn yng ngogledd Cymru? Ddim ar

166

Glawdd Offa rhwng Trefyclo a Llanandras, nac ar eich cwch preifat chi, y *Dee Gull*? Neu falla mai'r *Potteries Maid* y dylwn i ei galw hi!'

Roedd o'n barod am y syndod ar fy ngwynab. 'Do, Mr Cairns, rydan ni wedi bod yn edrych drwy'ch dyddiaduron chi.'

'Doedd gynnoch chi ddim hawl.'

Daliai Mervyn i eistedd fel llo cors wrth f'ymyl, yn deud dim.

'Roedd gennym ni *bob* hawl. Ydi'r profiada rhywiol sy'n cael eu disgrifio yn eich dyddiaduron, ac ar eich cyfrifiadur, yn rhai gwir, Mr Cairns?'

Fedrwn i mo'i atab.

'Oherwydd os ydyn nhw'n wir, yna mae'n rhaid bod gwyrth arbennig iawn wedi digwydd. 'Dach chi'n gweld, yn ôl Miss Forden dydi hi erioed wedi bod yn y llefydd 'ma y soniwch chi amdanyn nhw yn eich atgofion. Does ganddi hi ddim syniad ymhle mae Coedwig Delamere, medda hi wrthon ni gynna, a fuodd hi rioed yn ei bywyd dros y ffin i ogledd Cymru. Dwywaith erioed hefyd y mae hi wedi ymweld â Blackpool, a hynny pan oedd yn blentyn . . . '

Roedd o'n disgwyl imi ymatab ond cadw'n dawal wnes i, gan feddwl y byddai Mervyn isio trio achub fy ngham. Wnaeth o ddim. Rhaid bod y diawl hwnnw hefyd yn awyddus i glywad be faswn i'n ddeud.

'Wel, Mr Cairns?'

Faint gwell oeddwn i o wadu, a thyllu mwy o dwll i mi fy hun wrth neud? 'Ond mi oedd hi'n fy ffansïo fi. Roedd hi'n fflyrtio.' A gwrido o gywilydd efo'r fath esgus gwan.

'Ffantasi, Mr Cairns! Ffantasi! Yn ôl eich coeden achau chi – y fersiwn ddiweddara ohoni! – mae Miss Forden – *Miss* sylwch! – yn *ail wraig* ichi! Sut gall hynny fod? Pryd bu'r briodas? A sut, meddech chi, oeddech chi'n gallu'i phriodi hi cyn cael ysgariad oddi wrth eich gwraig gynta?' Mae ei wên wamal yn diflannu mor sydyn ag yr ymddangosodd hi. 'Fel ro'n i'n deud, ffantasi ydi'r cyfan! Felly, wnewch chi rŵan gadarnhau . . . ' Fe bwyntiodd at y peiriant recordio. ' . . . mai ffrwyth eich dychymyg chi, a dim arall, oedd yr affêr honedig efo Katherine Forden? . . . Wel?'

'Ia.'

'Yn uwch, Mr Cairns.'

'Ia.'

'Wnewch chi hefyd gadarnhau mai chi sydd wedi bod yn gneud galwada di-enw a bygythiol i fflat Miss Forden, a'ch bod chi wedi bod yn stelcian arni ers wythnosa?'

O'm gweld yn gyndyn i gyfadda, fe'm gyrrodd ymhellach i gongol, 'Pa bwrpas gwadu, Mr Cairns? Mae'ch dyddiaduron chi'ch hun yn gwbwl ddamniol.'

'Do'n i ddim yn golygu dim drwg. Wnes i erioed niwad iddi hi.'

'Ddim yn gorfforol falla, ond . . . '

Gadawodd i mi, ac i'r tâp, ddychmygu pa fath o gam a gafodd Kate gen i. 'Dwi'n sylwi eich bod chi'n hoff iawn o Shakespeare, Mr Cairns.'

'Ydw.' Waeth iddo fo feddwl hynny ddim.

'Ac o *Othello* yn arbennig?'

'Ia.'

'Be oedd enw gwraig Othello deudwch?'

'Desdemona.'

'A be ddigwyddodd iddi hi, Mr Cairns?'

Roedd y cythral yn gwbod yn iawn! 'Fe gafodd ei lladd.'

'Gan bwy, felly?'

'Be ydi pwrpas yr holi yma, Inspector?' Mervyn Lloyd Fletcher yn trio cyfiawnhau ei ffi! Ar yr adag fwya di-fudd! Roedd y clown yn *haeddu* cael ei anwybyddu.

'Othello.'

'Gan ei gŵr.'

'Ia.'

'Hm!' Fe lwyddodd i lwytho llawar iawn o ystyr i'r ebychiad. 'Oedd Katherine Forden yn gwybod eich bod chi'n gymaint o ffan o *Othello*?'

'Be 'dach chi'n feddwl?' Ond ro'n i'n gweld ei drywydd yn ddigon clir.

'Wel . . . o styried eich bod chi'n ffantasïo cymaint ynglŷn â'ch perthynas efo hi, onid oedd o'n naturiol iddi fod eich ofn chi?'

Do, fe lwyddodd i'm cynhyrfu – 'Be gythral 'dach chi'n awgrymu, ddyn?' – cyn teimlo llaw Mervyn ar fy mraich, yn arwydd imi ymbwyllo.

'Dwi'n awgrymu, Mr Cairns, eich bod chi wedi rhoi lle i Miss Forden ofni'ch cymhellion chi wrth ichi wylio'i fflat hi, a'i dilyn hi i'w gwaith ben bore ac o'no bob pnawn. Heb sôn am y galwada ffôn od bob adeg o'r dydd a'r nos. Os mai *chi* ydi Othello, yna falla mai fel Desdemona yr ydach chi'n meddwl am Miss Forden.'

Fe fu'n rhaid imi chwerthin yn sbeitlyd yn fan'na, wrth glywad y fath nonsans. Am unwaith roedd y dyn wedi colli golwg ar y sgript. Roedd o'n siarad yn hurt. 'Ylwch yma! Chlywis i'r fath lol yn fy nydd. Soniais i erioed yr un gair wrthi am Othello na Desdemona na neb arall. Rydach chi'n crafu i ddod â chyhuddiad yn f'erbyn i. Diawl erioed, Mervyn! Deud wrtho fo!'

Ond chafodd Mervyn ddim cyfla.

'Be am Colin Ford 'ta, Mr Cairns – cymar Miss Forden? Ydach chi'n dal i honni na welsoch chi mo'no fo o gwbwl ddydd Sul?'

'Dwi wedi deud wrthach chi'n barod. Doeddwn i ddim adra ddydd Sul.'

'O ble ddaru chi ffonio fflat Katherine Forden 'ta?'

'Be 'dach chi'n feddwl?'

Roedd yr wybodaeth ganddo yn ei lyfr. 'Fe wnaed galwada am bum munud i ddeg yn y bore, wedyn ganol dydd, ac yna am dri munud wedi tri a deuddeng munud wedi pedwar yn y pnawn, saith munud ar hugain wedi chwech yn yr hwyr a chwarter i ddeg y nos. Dim ond yn yr alwad ddwytha y cafodd rhywbeth ei ddeud. Tri gair yn unig – 'Bits! Hwran! Bits!'

'Nid fi!'

'Peidiwch â gwastraffu'n hamsar ni, Mr Cairns.' Medrodd roi llawar o ddiflastod a syrffad yn ei lais. 'Mae Miss Forden wedi trosglwyddo tâp y recordydd ffôn i'n dwylo ni. Matar bach fydd profi mai'ch llais chi sydd arno fo, er ichi neud eich gora i gelu hynny. A gan nad ydach chi'n barod i ddeud wrthon ni o *ble* ddaru chi ffonio, yna mi ddeuda *i* wrthach *chi*. Y ciosg ar y gornel rhwng Vicar's Lane ac Union Street, yn ymyl Grosvenor Park. Ydach chi'n gwadu?'

Be fedrwn i'i ddeud?

'Mae hwnnw o fewn hanner milltir i'ch cartra chi, ydi o ddim? . . . Ydach chi am ddal i daeru nad oeddech chi gartre, ddydd Sul?' O'i ffordd hunan fodlon o chwara efo'i fwstás, gellid tybio'i fod wedi cael yr ateb a ddisgwyliai.

'Ond welis i mo'r dyn gwallt hir 'na. Ar fy llw!'

'Be am fore Llun 'ta? Welsoch chi fo bryd hynny?'

Wrth lwc, fe agorwyd y drws ar yr eiliad honno ac fe roddodd Charles Conway ei ben i mewn. 'Wnewch chi derfynu'r croesholiad am funud, Inspector? Mi garwn i gael gair efo chi.'

'Pam ddiawl na ddeudi di rwbath, Mervyn?' Roedd y drws wedi cau tu ôl i'r ddau. 'Dydw i ddim yn mynd i dalu iti am ista ar dy din yn fan'na'n deud dim. Mae'r uffar yma'n cael gneud fel licith o gen ti. Rwyt ti i *fod* i f'amddiffyn i, felly pam uffar na wnei di?'

'D'amddiffyn di rhag be, Robert? Mae ganddo fo hawl i dy holi di, ac rwyt titha'n gneud job reit dda o glymu dy draed dy hun.'

'Wel gwna di fwy i'm helpu fi 'ta, yn lle bod yn fan'na'n ista ar dy ddwylo.'

'Dwi'n meddwl y basa'n well iti gael rhywun arall i gymryd dy achos di.'

Mi edrychais i fyw ei lygad a gweld y gwendid yno. 'Dwi'n cytuno'n llwyr, ond yn gynta mae'n rhaid iti fy nghael i allan o fa'ma cyn nos.'

Syrthiodd distawrwydd tyn rhyngon ni wedyn, efo 321, wrth y drws, yr unig un i werthfawrogi'r sefyllfa.

* * *

Nid ar ei ben ei hun y daeth Holloway yn ôl. Roedd Charles Conway a'r Sarjant Fields 'na efo fo, ac o weld yr olwg ddifrifol ar wyneba'r tri, fe wyddwn fod petha'n gwaethygu arna i. Eisteddodd un yn ei le arferol, aeth Conway wedyn i sefyll wrth y wal tu ôl iddo, gyferbyn â mi, i'm gwylio, ac arhosodd y trydydd rywle yng nghyffinia drws y stafall, tu ôl imi, ac yn ymyl y plismon mewn iwnifform. Wrth i Holloway osod y ddwy botal fach frown ar y bwrdd rhyngon ni, roedd fy nghalon yn curo digon, gredwn i, i'r peiriant recordio ei chlywad.

'Wel rŵan, Mr Cairns. I ddiben y tâp, wnewch chi gadarnhau mai'ch enw llawn chi ydi Robert Meredith Cairns.'

'Ia.'

'Ac mai'ch cyfeiriad ydi Boston House, Castle Street, Caer.'

'Ia.'

'Chi'ch hun roddodd yr enw ar y tŷ?' Mae'n gofyn fel pe bai ganddo ddiddordab cyfeillgar.

'Nage. Fy ngwraig.'

'Wrth gwrs! Un o Boston ydi *hi*'n de? Ac mae hi wedi dychwelyd yno i fyw.'

'Does gen i ddim syniad lle mae hi erbyn rŵan. A dim diddordab chwaith.'

'O? Petha ddim yn dda rhyngoch chi a hi, felly?'

'Be 'dach chi'n ddisgwyl? Mae hi wedi 'ngadael i.'

'Pam wnaeth hi hynny, Mr Cairns? Oeddech chi'n frwnt wrthi hi? 'Ta oedd petha wedi mynd yn annioddefol rhyngoch chi oherwydd eich obsesiwn chi efo Miss Katherine Forden?'

'Hi oedd wedi cael affêrs, nid fi.'

'O, deudwch chi . . . '

Roeddwn wedi disgwyl iddo fo fynd ar ôl y trywydd yna, er mwyn imi gael sôn mwy am anffyddlondeb Constance. Ro'n i'n ddigon parod i gyfadda nad fi ydi tad Karl, ac na fedra i fod gant y cant yn siŵr o Kevin chwaith, ond ches i ddim cyfla.

' . . . Felly, mae'n wir deud, Mr Cairns, mai'ch gwraig ydi'r unig ddynes 'dach chi wedi cysgu efo hi erioed? . . . '

'Dydi hynny'n ddim o'ch busnas chi! Fe gewch feddwl be liciwch chi.'

Chymrodd o ddim arno fy nghlywad. ' . . . Ond fe wyddon ni, wrth gwrs, am eich hoffter o ferched ifanc. Pan oeddech chi'n rhedeg cwmni Atlantic Lines, er enghraifft, ydi o ddim yn wir eich bod yn cael trafferth cadw merched ar y staff? Ac onid dyna oedd yn digwydd yn Maxim Electrics hefyd, pan oeddech chi'n gyfrifol am yr adran fasnach ac allforion yn fan'no? Ac onid dyna pam y gadawodd Miss Katherine Forden y cwmni hwnnw? Ac onid dyna pam y bu'n rhaid i chitha, hefyd, adael yn y diwedd? Oherwydd bod cwynion di-ri wedi cael eu gneud i'ch erbyn?'

Rhes o gwestiyna ymosodol, heb ddisgwyl atab i'r un ohonyn nhw. Cyhuddo yn hytrach na gofyn.

' . . . Sut bynnag, deudwch fwy wrthon ni am Boston House, Mr Cairns.'

'Be 'dach chi'n feddwl?'

'Mae o'n dŷ go fawr, yn ei dir ei hun.'

172

'Ydi.'

'Ar Castle Street.'

'Ia.'

'A'i ffrynt yn edrych allan dros afon Dyfrdwy a gwastadedda Sir Gaer . . . '

Deud yn hytrach na gofyn mae o eto.

' . . . Mae'ch gardd yn rhedeg i lawr at yr afon ac mae gwrychoedd uchel rhyngoch chi a'ch cymdogion ar bob ochor. 'Dach chi'n hoffi preifatrwydd.'

'Oes 'na bwrpas . . . ?'

'Oes, Mr Lloyd Fletcher.'

Ac mae Mervyn yn ôl yn ei gragan!

'Ydw. Pam lai?'

'Ia wir! Pam lai!' Yna, fel pe bai o wedi meddwl yn sydyn am rwbath, 'Deudwch i mi, Mr Cairns, sut mae mynd i'ch gardd?'

'Be 'dach chi'n feddwl?'

'Wel, fedrwn *i*, er enghraifft, fynd yno? Heb i chi wybod, dwi'n feddwl?'

Os oedden nhw wedi bod yn chwilio fy nhŷ drwy'r bora, yna roedd y diawl yn gwbod yr atab i'w gwestiwn ei hun yn iawn. Roedd ei ffordd o holi yn fy nychryn, am na wyddwn be oedd pwrpas y gofyn. Hyd y gwelwn i, doedd gen i ddim i'w golli trwy ddeud yr hyn oedd yn wir ac yn amlwg beth bynnag.

'Yr unig ffordd i'r ardd ydi drwy'r tŷ ei hun.'

Gwenodd. 'Neu efo cwch!'

'Ia.'

'Fyddwch chi'n cael ymwelwyr o'r cyfeiriad hwnnw, Mr Cairns?' Roedd y llais clên yn ôl eto.

'Be? Efo cwch? Na. Mae ffrynt y tŷ yn lle preifat iawn.'

'Ro'n i'n gweld fod gynnoch chi system ddiogelwch CCTV ar ochor Castle Street o'r tŷ, ond fydd gynnoch chi ddim ofn i ladron dorri i mewn drwy'r ffrynt? O gyfeiriad yr afon a'r ardd?

Am ddiawl o dditectif! 'Os gwelsoch chi'r camera yn y cefn, sut na welsoch chi'r llall sydd ar ffrynt y tŷ, yn cadw golwg dros yr ardd a'r afon?'

Chwarddodd yn ymddiheurol wedyn. 'O! Sylwais i ddim ar hwnnw, cofiwch. Felly, does bosib i neb ddod i'ch gardd chi heb gael ei weld ar y camera?'

'Nagoes.'

'Pryd fuoch chi'n gweld eich meddyg ddiwetha, Mr Cairns? . . . '

Synnwyd fi gan y newid cyfeiriad annisgwyl a gwelais Mervyn Lloyd Fletcher hefyd yn codi'i ben mewn syndod.

' . . . Mr Cairns! Wnewch chi ateb y cwestiwn? Pryd fuoch chi'n gweld eich meddyg ddiwetha?'

'Dydw i ddim yn cofio.'

'Pryd oeddech chi i *fod* i fynd i'w weld o? Dr Ferris dwi'n feddwl . . . '

' . . . Gan eich bod yn amlwg yn anfodlon ateb, wnewch chi ddeud pryd oeddech chi i fod i weld Dr Medway 'ta? . . . '

'Wnewch chi ateb y cwestiwn yma 'ta? Pam nad ydach chi wedi cadw'ch apwyntiada efo Dr Medway?'

'Doedd dim angan.'

'Pa fath o feddyg ydi Dr Medway, Mr Cairns? . . . Mae'r diffynnydd unwaith eto'n gwrthod ateb.' Roedd yn dal i edrych arna i ond yn cyfarch y peiriant recordio. 'Seiciatrydd ydi Dr Medway, ac yn un sy'n cael ei styried ymysg goreuon ei broffesiwn. Ydi hynny ddim yn wir, Mr Cairns?'

'Os 'dach chi'n deud.'

'A mae o wedi bod yn eich trin chi.'

'Doedd dim angan. Dr Ferris fynnodd 'mod i'n mynd i'w weld o . . . Mynd i blesio hwnnw wnes i . . . Doedd dim gwir angan.'

'Dr Ferris ydi'ch meddyg teulu chi?'

'Ia.'

'A be ydi natur eich salwch chi?'

'Mater cyfrinachol rhwng meddyg a'i glaf ydi peth fel'na, Inspector.' Wrth i Mervyn Lloyd Fletcher neud ei brotest dila, gwelais Conway yn dal ei lygad yn rhybuddiol. Fe wyddwn yn syth be oedd yn mynd ymlaen. Roedd Mervyn yn aelod o'r lòj hefyd, wrth gwrs, ac yn nes at Charles Conway na fi. Roedd hwnnw rŵan, yn ei ffordd dan din, yn deud wrth fy nhwrna i am adael i betha fod; am adael i betha gymryd eu cwrs ac i beidio ymyrryd gormod. Uffar dân!

'Ddim mewn achos mor ddifrifol â hwn, Mr Lloyd Fletcher. Rŵan, ydi o'n wir, Mr Cairns, eich bod yn cael eich trin gan Dr Ferris a Dr Medway am yr hyn a elwir yn gyflwr seicotic dwys? . . . Wel? Ydach chi am ateb?'

'Ydi.' Pa bwynt mewn gwadu?

'Rydach chi'n diodde cyfnoda o iselder ysbryd difrifol? Ydi hynny'n wir?'

'Weithia. Ydi pawb ddim?'

'Sgitsoffrenia hyd yn oed . . . Pa driniaeth sy'n cael ei rhoi?'

'Tabledi.'

'Niwroleptic.' Deud oedd o eto, nid gofyn. 'Rydach chi ar *phenothiazine* ers rhai blynyddoedd. Ydi hynny'n wir?'

'Os 'dach chi'n deud.'

'Mae hwnnw'n gyffur cry iawn, Mr Cairns. Ydach chi wedi bod yn cymryd eich tabledi'n rheolaidd?'

Ro'n i'n synhwyro fod Mervyn isio protestio, ond wnaeth o ddim. Wrth i'r llais ddyrnu mlaen efo'i gwestiyna diddiwadd, gallwn deimlo'r gwaed yn codi i 'mhen.

'Rydach chi'n nabod rhain.' Deud eto, yn hytrach na gofyn, ac roedd cledwch fel dur oer yn ei lais o. Cydiodd yn y ddwy botel, un ymhob llaw. 'Fedrwch chi ddeud wrthon ni be sydd yn hon?' Ysgydwodd un o'r poteli i ddangos ei bod bron yn llawn. 'A be oedd yn arfer bod yn y llall 'ma?' Daliodd honno at y gola i brofi ei bod yn wag.

'Welis i rioed mo'nyn nhw o'r blaen.'

'Rhyfedd hynny, oherwydd yn eich garej chi y daethon ni o hyd iddyn nhw, wedi eu cuddio ar un o'r silffoedd.'

'Fel ro'n i'n deud, nid fi pia nhw.'

'Mr Cairns! Dydach chi'n helpu dim ar eich achos, os ca i ddeud. Mae rhywfaint o gynnwys y botel yma wedi cael ei anfon i'r labordy i gael ei brofi.'

'Pryd maen nhw'n mynd i adael imi fynd adra, Mervyn?'

Gofyn cwestiwn gwirion i glown! Wnaeth hwnnw ddim byd ond ysgwyd ei ben yn hurt, tra bod y ddau arall, Holloway a Charles Conway yn gwenu'n gam ar ei gilydd. 'Adra, Mr Cairns? Fyddwch chi ddim yn mynd adra heno.'

Teimlais fy hun yn suddo mewn digalondid a phob awydd i fyw yn llifo allan ohono' i. Dwi wedi arfar efo tipyn o foeth, ers blynyddoedd, ac roedd meddwl am dreulio noson arall mewn cell gyfyng, ddigysur, yn gneud imi fod isio crio fy mol allan. Rhaid bod Mervyn wedi synhwyro f'anobaith.

'Fedrwch chi ddim cadw 'nghleient i yma'n hir iawn eto heb ei ryddhau. Hynny neu ei gyhuddo o ryw drosedd neu'i gilydd.'

Doedd dim gronyn o argyhoeddiad yn y llais.

'O! Peidiwch â phoeni, Mr Lloyd Fletcher. Rydan ni'n bwriadu dod â chyhuddiad yn erbyn eich cleient, ond fy mod i'n rhoi cyfle iddo helpu chydig arno'i hun i ddechra . . .'

Helpu fy hun? Hy! Eu helpu *nhw* yn hytrach! Chwilio am wybodaeth hawdd gen i roedd o. Ond doedd gen i fawr o ddiddordab yn eu dadla nhw. Yr hunlla o dreulio noson ddigysur arall yn fa'ma oedd yn gneud fy mhen i'n drwm. Am unwaith, roedd gen i hiraeth gwirioneddol am gegin fach Canal Street ers talwm, efo'i thân siriol; Edith a Marjory'n fach ac yn eu gwlâu, Mam uwchben y bwrdd yn smwddio a Nhad efo'i draed ar y ffendar loyw ac yn slwmbran. Dyna pryd y bydda hwnnw'n fwya bodlon, pan oedd o'n weddol ddi-boen ac yn cael llonydd i gysgu. Ochor yn ochor â chell foel neithiwr, efo'i gwely calad a'i diffyg cnesrwydd, mi fasa'r aelwyd fach honno'n balas imi heddiw.

Pe bai Kate yn fy ngweld i rŵan, fyddai hi'n teimlo drosta i, os gwn i? Fyddai hi'n dallt pam dwi wedi gneud be wnes i? Oes ganddi hi syniad be dwi wedi'i ddiodda? Oes ganddi hi syniad be dwi wedi'i aberthu er ei mwyn hi? Nagoes, mae'n siŵr. Y bits!

'Oes 'na rywbeth yn bod, Mr Cairns? . . . Rydach chi'n gwgu'n arw. Ac mae'ch meddwl chi'n bell. Wel rŵan, dwi'n gofyn y cwestiwn ichi un waith eto. Welsoch chi Mr Colin Ford o gwbwl ddydd Llun diwetha, yr wythfed o Dachwedd?'

'Naddo.'

'Ddaeth o ddim i'ch cartre i'ch gweld?'

'Ylwch yma, Inspector Holloway . . .'

Mervyn wedi deffro eto fyth!

'Wnewch chi ateb y cwestiwn, Mr Cairns.'

'Mae Mr Cairns wedi ateb y cwestiwn yna sawl gwaith yn barod . . .'

Ond chafodd y twrna ddim gorffan ei brotest. Chafodd o ddim sylw chwaith.

'Wel?'

'Naddo.'

Fe'i gwelais yn sythu yn ei gadair ac yn gwyro 'mlaen yn bwrpasol.

'Fedrwch chi, felly, egluro rŵan sut y daeth corff Colin Ford i gael ei gladdu yn eich gardd chi?'

Er gwaetha fy nychryn, o gongol fy llygad mi welis Mervyn yn neidio nes bron gyrru'i gadair, ac ynta ynddi, ar ei chefn i'r llawr.

'Atebwch y cwestiwn! . . . Mr Cairns? Wnewch chi ateb os gwelwch yn dda . . .'

Trwy niwl pell fe glywis y geiria, 'Mae'r diffynnydd yn

gwrthod ateb . . . Robert Meredith Cairns, rwyf yn eich cyhuddo chi o lofruddio Colin Ford, Fflat 14, Garden Lane, rywbryd yn ystod dydd Llun, yr wythfed o fis Tachwedd, un naw naw naw. Nid oes raid ichi ddeud dim, ond fe all fod yn niweidiol i'ch achos os na chrybwyllwch, pan holir chi, rywbeth y byddwch yn dibynnu arno yn ddiweddarach mewn llys. Gellir defnyddio unrhyw beth a ddywedwch fel tystiolaeth.'

Funuda'n ddiweddarach – wn i ddim faint – roeddwn i'n dal ar goll yn yr un niwl wrth i 321 fynd â fi allan o'r stafall ac yn ôl am y gell. Cyn gadal, ro'n i'n ymwybodol o Holloway yn cychwyn sgwrs efo Charles Conway, a chlywais y geiria ' . . . Mersey Docks Strangler . . . '

* * *

Noson hunllefus eto neithiwr, efo hynny o gwsg ag a ges i yn llawn o wyneba yn fy nghyhuddo'n annheg. Roedd Nhad yno, a Mam wrth gwrs, efo Harold y gŵr newydd yn amenio pob dim oedd hi'n ddeud, a'i ddannadd gosod bron â chael eu hysgwyd allan o'i geg gan mor egar roedd o'n nodio'i ben. Mi ddaeth Kate hefyd, a dynion o'i chwmpas hi ym mhob man. Mi wyddwn ei bod hi'n noeth yn eu canol nhw ond allwn i ddim gweld ei noethni chwaith. Walt Pereira, fy nhad-yng-nghyfraith gynt, oedd un ohonyn nhw, ac roedd o'n sbio fel y diawl arna i ac yn codi'i fys yn rhybuddiol, cystal ag awgrymu 'mod i'n trio dwyn ei gariad o. Mi ddaeth Constance wedyn hefyd. Dyna'r tro cynta erioed imi'i gweld hi'n crio. Ac mi ddaeth y boi gwallt-cynffon-ceffyl i'w chysuro hi. Er bod ei geg o'n symud, fedrwn i ddim clywad ei lais, ond ro'n i'n gwbod o'r gora mai siarad amdana i roedd o, a'i fod o'n fy ngalw fi'n llofrudd. Roedd yr hunllefa'n llawn plismyn hefyd – 321, Fields, Holloway, Charles Conway – a Mervyn Lloyd Fletcher a Hugh'r garddwr yn eu canol nhw'n cynllwynio. Trafod f'achos i oedden nhw, mewn isleisia, ac yna'n galw ar y barnwr – boi bach plorynnog y llyfrgell archifau, efo wig hir gwyn . . . nage du! . . . am ei ben – i ganiatáu pleidlais i ddiarddel y Mersey Docks Strangler o'r lòj. Pob un yn tynnu pêl ddu allan o'r bag! Hyd yn oed Mervyn! Mrs T., yn nrysa agorad y patio, oedd yr unig un i sbio'n dosturiol arna i, wrth iddi 'nghymell i i stopio crio ac i gymryd fy nhabledi.

A rŵan dwi'n effro, ac mae'r gwir yn waeth na'r dychmygol. O leia fe alla i daflu'r breuddwydion dros ysgwydd. Petha dros dro ydi'r rheini, tra bod yr hunlla yma yn un barhaol nad oes dengyd rhagddi. Dwi'n gwbod nad ydw i eto yn llawn sylweddoli be sydd o 'mlaen i. Mi wn i o'r gora be sy'n *mynd* i ddigwydd, ac mae'r peth yn ddychryn imi, ond nid yn gymaint o ddychryn chwaith ag y dyla fo fod. Ar y funud, fedra i ddim amgyffred be *ydi* carchar am oes. Dwi wedi darllan ac wedi clywad digon am yr hyn sy'n mynd ymlaen mewn llefydd o'r fath – yn Walton, er enghraifft. Anifeiliaid o ddynion, amddifad o bob egwyddor ac o bob teimlad ac eithrio casineb, pob un efo'i griw dethol o ddilynwyr, yn rheoli ei deyrnas fach gaeth ei hun, lle mae cyllyll a chyffuria a gwrywgydiaeth orfodol yn rhan o fywyd *pob* dydd. 'Disgyblaeth y jyngl' meddai rhywun wrtha i rywdro. Ond er 'mod i wedi clywad hyn i gyd, ac er fod yr wybodaeth yn codi ofn arna i, dwi'n gwbod nad ydi gwir arswyd y sefyllfa wedi gwawrio arna i hyd yma. Serch hynny, pe bawn i'n medru cael fy llaw, yr eiliad 'ma, ar fy nhabledi, neu ar y botal lawn oedd yn arfar bod ar silff y garej ond sydd erbyn hyn ym meddiant Holloway, yna mi lyncwn i'r cynnwys i gyd heb feddwl ddwywaith. Be ddeudai *hi* wedyn, os gwn i, pan fyddai'n rhy hwyr iddi ddifaru?

Uffarn fydd bywyd carchar, a rhan o'r uffarn hwnnw fydd bod â Kate ar fy meddwl, heb fedru'i ffonio hi, heb wbod be fydd hi'n neud nac efo pwy fydd hi'n cysgu. Mi fydd pob dyn yn ffansïo'i jánsys efo hi, siŵr dduw. Smalio cydymdeimlo efo hi yn ei galar. Cynnig braich i'w chynnal. Sibrwd gair o gysur yn ei chlust. A hitha'n gwenu ei diolch ac yn gneud llygada bach ar bob un, cystal â gwahodd rhagor o'u sylw. Hwran! Finna dan glo mewn bocs o stafall, yn hel pob math o feddylia. Hi'n rhannu'i gwely bob nos, finna'n unig yng nghanol anifeiliaid anwar ac yn cael fy ngham-drin yn ddyddiol. Yr hwran hunanol! Os mai un fel'na wyt ti, Kate, mi gei fod! Wna i ddim meddwl rhagor amdanat ti! Y bits!

Mae hi rŵan tua un ar ddeg faswn i'n tybio. Sawl gwaith ers deffro rydw i wedi dychmygu golygfa'r patio dros yr ardd a'r afon? Gweld fflyd o blismyn yn troi'r lawnt yn fwd efo'u hen draed mawr ac yn chwalu grug a phridd yr ardd gerrig i bob cyfeiriad. Jyst gobeithio'u bod nhw wedi gorffan efo'u tyllu erbyn hyn. Gobeithio y bodlonan nhw rŵan.

Does gen i na belt na charai esgid na dim. Maen nhw wedi mynd â'r cwbwl oddi arna i.

* * *

Tatws slwj, moron a phys allan o dùn, cig mân efo ogla cry arno fo a grêfi tew dros y cwbwl. 321 ddaeth â 'nghinio imi eto heddiw. Crechwen ar ei wynab mawr o, cystal â deud – 'Waeth iti heb â difaru. Rwyt ti wedi cachu dy grefft go iawn rŵan, mêt!' Ond doedd o ddim yn gwenu hannar awr yn ddiweddarach, pan welodd o'r plât plastig yn wag ar lawr, a'r slwj amryliw yn blastar ar y wal o'i flaen. Mi gododd ddwrn gwyllt gan fygwth fy nharo, ond allan yn ôl yr aeth o, yn gweiddi'r petha mwya anllad amdana i ac mewn iaith oedd yn gywilydd i'w broffesiwn. Mewn pum munud fe ddaeth yn ôl yn surbwchaidd efo bwcedaid o ddŵr a mop i glirio'r llanast, gan fytheirio o dan ei wynt.

Ganol pnawn rywbryd, fe ddaeth plismon arall â phanad

o de melys imi. Fe'i hyfais, am fod gen i angan rwbath i'w neud. Ddaeth neb arall ar fy nghyfyl tan wedi pump. Yn y cyfamsar, wnes i ddim byd ond gorwadd yn ddagreuol ar y gwely a diodda'r oria araf. *Er dy fwyn di – er ein mwyn ni – y gwnes i bob dim, Kate.*

* * *

'Robert Meredith Cairns! Fedrwch chi ddeud wrthon ni ymhle mae eich gwraig, Constance Cairns, ar hyn o bryd?'

Mae golwg drwm ar y tri – Holloway yn ei le arferol ar yr ochor arall i'r bwrdd, a'r Sarjant Fields 'na wedi ymuno efo Conway, rŵan, ac yn pwyso ar y wal gyferbyn â fi. Yno y maen nhw i wylio fy ngwynab, ac i gyfrannu at agwedd ymosodol a bygythiol Holloway. Yn anniddig wrth f'ochor, mae Mervyn Lloyd Fletcher yn golchi'i ddwylo heb na sebon na dŵr. Mae'r copi o'r *Daily Post*, efo'i bennawd bras *BODY FOUND IN CHESTER GARDEN – MAN HELD*, yn gorwedd ar y bwrdd o'i flaen. Dwn i ddim be oedd ei fwriad yn dod â hwnnw i'w ddangos imi. Yn cadw llygad ar y drws tu ôl i Mervyn a finna – rhag ofn imi gymryd y goes mae'n debyg! – mae'r plismon ddaeth â'r te melys imi ganol pnawn.

'Wel?' Anodd anwybyddu'r dôn ddiamynadd yn ei lais.

'Fy ngwraig? Dwi wedi deud wrthach chi'n barod . . . '

'Wrth gwrs! Efo'i chwaer yn Boston.' Sŵn coegni sydd yn ei eiria rŵan.

'Nage. Ei *rhieni* hi oedd yn arfar byw yn Boston. Mae'r chwaer yn byw allan yn y wlad yn rwla. Does gen i ddim syniad ymhle, ond ati hi'r oedd Constance yn bwriadu mynd i aros nes y câi hi dŷ iddi'i hun yn . . . yn Philadelphia, neu rwla felly.'

'Wrth gwrs! Wrth gwrs! Wel rŵan, eglurwch i mi sut y daeth corff Colin Ford i fod wedi'i gladdu yn eich gardd chi.'

'Nid fi a'i lladdodd o.'

'Felly pwy?'

'Sut mae disgwyl i mi wbod? Rhywun arall a'i claddodd o.'

'Ond all neb fynd o'r ffordd fawr i'ch gardd chi heb fynd drwy'r tŷ yn gynta.'

'Mae posib mynd yno o'r afon.' Ond fel dwi'n deud y geiria, dwi'n sylweddoli pwrpas cyfrwys ei groesholi ddoe.

'Ond 'dach chi wedi deud yn barod . . . ' Mae'n f'atgoffa trwy nodio at y peiriant recordio. ' . . . fod system ddiogelwch yn fan'no hefyd. A phwy fyddai'n gneud y fath beth, beth bynnag? Lladd Colin Ford, llwytho'r corff trwm i gar falla, ac o'r car i gwch, dod â fo ar y Ddyfrdwy, ei godi o'r cwch a'i lusgo at eich gardd gerrig chi, tyllu bedd yn fan'no a chladdu'r corff. Does bosib eich bod yn disgwyl inni gredu stori fel'na? Ymhle yn Boston y mae'ch chwaer-yng-nghyfraith yn byw? A be ydi'i henw hi?'

Dwi'n synhwyro fod pwrpas i'r neidio sydyn o'r naill beth i'r llall.

'Peony ydi'i henw hi, ond does gen i ddim syniad be 'di snâm ei gŵr. Ac *nid* yn Boston y mae hi!' Trwy dôn ddiamynadd fy llais, dwi'n trio awgrymu *Sawl gwaith mae isio deud?*

'Ydi'ch gwraig wedi cysylltu efo chi o gwbwl o America?'

'Dim gair.'

'Wel! Gobeithio'i bod hi wedi cyrraedd yn ddiogel. Gyda llaw, chi'ch hun ddaru lunio coeden achau'ch teulu, yn de – honno welson ni ar eich cyfrifiadur?' Mae'r sŵn meddal, cyfeillgar yn ôl yn ei lais ac mae tyndra'i wynab wedi llacio rhywfaint hefyd, ond nid yn hir. 'Wyddoch chi be dwi'n weld yn od, Cairns? Y ffaith nad oes 'na ddim dyddiad geni na dim ar gyfer eich gwraig. Os gwn i pam?'

Ydi'r 'na dim' yn awgrymu rwbath?

' . . . Gyda llaw, fedrwch chi ddeud wrthon ni pwy oedd y corff arall oedd wedi'i gladdu yn eich gardd?'

Mae 'na gwlwm yn cau am fy mhibella gwynt a dwi'n clywad ochenaid o ddychryn o gyfeiriad fy nhwrna.

'Wel? . . . '

Dwi'n gwbod bod fy nhawedogrwydd yn gondemniad ynddo'i hun ac mae'r gwaed yn ailddechra dyrnu yn fy mhen.

' . . . Na? Ai methu ynte gwrthod ateb y mae'ch cleient, Mr Lloyd Fletcher?'

'Ym . . . Rhaid ichi sylweddoli fod y newyddion yma'n gymaint o sioc i Mr Cairns ag ydyn nhw i minna, a dwi'n cynghori Mr Cairns unwaith eto i beidio ateb rhagor o'ch cwestiyna ar hyn o bryd.'

Crechwenu mae Holloway, fel pe bai wedi cael yr atab a ddisgwyliai. 'Wyddoch chi be sy gen i yn fa'ma, Cairns?' Mae'n estyn at ffeil ac yn ei thynnu tuag ato dros wynab y bwrdd. 'Adroddiad y patholegydd ar gorff Mr Colin Ford. Gyda llaw, mae o rŵan yn cynnal trengholiad ar y corff arall ac fe gawn ni'r adroddiad hwnnw hefyd, cyn bo hir. Mae'r ail gorff wedi bod yn y pridd dipyn hirach, ac wedi madru'n o ddrwg. Ond corff gwraig ydi o, meddan nhw i mi. Be newch chi o hyn'na, Mr Cairns?'

Mae ei dôn ffug-gwrtais a'r ffordd mae o'n chwara efo'i fwstás yn gneud imi fod isio sgrechian, tra bod ei dacteg o neidio'n annisgwyl o'r naill beth i'r llall yn fy nychryn. Fedra i ddim diodda llawar mwy.

'Corff *gwraig*, Mr Cairns. Y cwestiwn mawr rŵan ydi – Gwraig *pwy*? Be 'dach chi'n feddwl, Mr Cairns? Oes gynnoch chi syniad pwy allai hi fod?'

'Newch chi adael llonydd imi, wir dduw!' Dwi'n gwbod 'mod i'n gweiddi, ond llais rhywun arall, rhywun lloerig, dwi'n glywad yn adleisio drwy'r stafall. Dwi'n gwbod 'mod i ar fy nhraed hefyd, a bod dau os nad tri ohonyn nhw'n rhuthro i gydio yno' i. Mae 'nghadair i wedi cael ei thaflu'n ôl wysg ei chefn ac mae Mervyn Lloyd Fletcher wedi sgrialu oddi wrtha i yn ei ddychryn.

'Rhowch un o'i dabledi iddo fo!' Conway sy'n gweiddi. 'Adams! Dos i'w nôl nhw gan y sarjant wrth y ddesg! A thyrd â glasiad o ddŵr!'

Wrth iddyn nhw ddal yn fy mreichia, dwi'n teimlo fy nyrna'n glapia tyn. Dwi isio'u cael nhw'n rhydd a'u taflu nhw i bob cyfeiriad. Dwi isio malu gwynab mwstashog Holloway a thywallt gwaed Charles Conway dros lawr y stafall i gyd. Yna, mae Adams, y plismon lifrog, yn ei ôl yn gynhyrfus a maen nhw'n gwthio tabled rhwng fy ngwefusa, a dŵr i'w golchi hi i lawr.

'Rhowch y blydi lot imi! Fi pia nhw! Rhowch y cwbwl imi . . . ' A dwi'n clywad fy hun yn beichio crio. Yna 'Plîs . . . plîs . . . plîs', a'm llais yn troi'n gnewian dagreuol.

'Rhowch o'n ôl yn ei gadair! Mi ddaw ato'i hun ymhen munud neu ddau.' Llais pwy, dwn i ddim. Does dim math o gydymdeimlad ynddo fo beth bynnag.

* * *

Ar wahân i Adams wrth y drws, mae Mervyn a finna wedi cael y stafall i ni'n hunain am chwartar awr neu fwy. Dwi'n teimlo'n well wrth i'r dabled gymryd effaith a dydi petha ddim yn edrych cweit cyn d\ddued ag oeddan nhw ddeng munud yn ôl, er gwaetha gwynab hir y twrna. Mae o wedi darllan imi bytia o'r hanas yn y papur a dwi'n falch o ddallt nad ydw i'n cael fy enwi ynddo fo. Rhaid bod rhyw amheuaeth ym meddwl Holloway, felly!

'Gyda llaw, Robert! Mi ges alwad bora 'ma gan un o dwrneiod Cartland & Cartland yn Columbus Junction, ynglŷn â'r darn tir oedd bia dy daid . . . ' Trystio Mervyn i fod isio trafod peth felly, rŵan o bob amser! ' . . . y tir maen nhw'n alw'n *Old Corrals* . . . '

Ond mae'r drws yn agor, a'r tri yn dilyn ei gilydd fel

184

gwydda i mewn trwyddo gan sgwrsio a chwerthin dros ysgwydd fel pe bai'r byd yn lle hapus i fod ynddo. Charles Conway sy'n dod i eistedd gyferbyn â fi rŵan, tra bod y ddau arall – Fields a Holloway – yn cymryd cadair bob un ac yn eistedd rhyw ddwylath y tu ôl iddo. Fel Mervyn yn gynharach, mae ynta'n taflu papur newydd ar y bwrdd rhyngon ni, fel bod stori'r dudalen flaen yn fy ngwynebu – *SECOND BODY FOUND. CHESTER MAN CHARGED.* Y *Liverpool Echo* ydi'r papur; rhifyn yr hwyr. Mae llun Boston House yno hefyd, ac mae gweld hwnnw'n gneud imi deimlo fel crio llond bol. A thrwy'r cwbwl, fel pe bai trwy niwl, dwi'n clywad Conway'n mynd trwy'i betha, ' . . . yn bresennol yn y stafell. Y dyddiad yw Tachwedd y degfed ac mae'r cyfweliad yn ailgychwyn am ddeuddeng munud wedi chwech. . . . ' Dwi'n gweld enw Colin Ford ym mharagraff cynta'r erthygl, a finna'n cael fy enwi yn yr ail.

' . . . Robert Meredith Cairns, dwi'n cymryd eich bod yn teimlo'n well erbyn hyn, a'ch bod yn barod i fynd ymlaen â'r croesholi?'

Be fedra i'i ddeud? 'Ydw.'

'Rydych yn sylweddoli, wrth gwrs, eich bod rŵan wedi cael eich cyhuddo'n ffurfiol o lofruddio Colin Ford, yn ogystal â menyw na wyddom, hyd yma, ei henw. Ydach chi'n barod rŵan i'n helpu, ac i ddatgelu pwy oedd y wraig a gladdwyd yn eich gardd yn Boston House, Castle Street?'

Mae 'na ddisgleirdeb yn ei lygada fo, fel sydd ynddyn nhw tuag at ddiwadd noson cinio'r lòj. Wedi meddwi ar ei awdurdod ei hun y mae o heno.

' . . . 'Dach chi am ateb?'

Doeddwn i ddim wedi sylwi tan rŵan fod ganddo fo ddant aur . . . na chwaith ddafaden fach o dan ei lygad chwith.

'Mae Robert Cairns yn gwrthod ateb y cwestiwn.' Y peiriant recordio sy'n cael y geiria yna ganddo fo. Mae o'n dawal rŵan, fel petai o ar goll am rwbath i'w ofyn. Mae o'n agor y ffeil sydd o'i flaen, ac yn ei gosod dros y papur newydd gan guddio llun Boston House. Wrth ei fraich dde, mae o'n gosod un o'r poteli bach brown oedd yn arfar bod ar silff fy ngarej.

'Adroddiad y patholegydd, Cairns! Ac adroddiad o'r lab!' Dydi o ddim yn trio celu'r min ymosodol sydd yn ei lais, 'Yn ôl y cynta o'r ddau adroddiad, fe fu Colin Ford farw trwy fygu i farwolaeth. Yn ôl y pridd a dynnwyd o'i geg a'i bibella gwynt, mae'r patholegydd o'r farn ei fod wedi cael ei gladdu'n fyw.' Mae o'n cael traffarth i guddio'i atgasedd amlwg tuag ata i. 'Pridd o'r un ansawdd ag sydd yn eich gardd gerrig chi!'

Eiliada eto o dawelwch tyn, a Conway a Mervyn a phob un o'r lleill yn rhythu arna i.

' . . . Mae'r adroddiad yn cadarnhau rhywbeth arall hefyd. Cyn ei gladdu'n fyw, roedd Colin Ford wedi llyncu joch sylweddol o wisgi yn ogystal â chymysgedd cry eithriadol o'r cyffur *phenothiazine*. Mi fyddai hwnnw ynddo'i hun wedi wedi bod yn ddigon i'w ladd, pe bai'r cyffur wedi cael amser i neud ei waith. Ond roedd Colin Ford yn dal i anadlu pan roddwyd ei gorff yn y pridd . . . Oes gennych chi ryw sylw i'w neud, Cairns?'

'Nid fi.'

'O, deudwch chi!'

Mae'i wamalrwydd yn deud nad ydi o'n fy nghoelio i.

' . . . Yn ôl yr adroddiad arall, adroddiad y lab, yr hyn sydd i'w gael yn y botel lawn – y cawson ni hyd iddi yn eich garej os cofiwch chi! – ydi cymysgedd cry o *phenothiazine*. Ac mae'r diferion oedd ar ôl yn y botel arall, y botel wag, yn tystio mai dyna oedd cynnwys honno hefyd. Ar hyn o bryd, mae'r lab yn cymharu cryfder y cyffur yn y poteli efo cryfder yr hyn a gafodd ei lyncu gan Colin Ford cyn iddo farw. Mae'r adroddiad yn datgan mai'r un cyffur yn union sydd yn y poteli ag sydd yn eich tabledi chi, Cairns. Wnewch chi rŵan, er lles pawb, gyfadde eich bod chi'n fwriadol wedi cynilo stoc o'ch tabledi ac wedi eu malu'n fân a'u toddi mewn dŵr? Wnewch chi hefyd gyfadde eich bod chi, rywsut neu'i gilydd, wedi cael Colin Ford i lyncu'r hylif marwol? Mewn joch sylweddol o wisgi, falla? A wnewch chi hefyd gadarnhau mai corff eich gwraig, Constance Cairns, ydi'r un arall a gladdwyd yn eich gardd gerrig?'

Mae o'n saethu cwestiyna fel petai o'n saethu bwledi, ac mae pob un yn brifo.

' . . . Wel, Cairns?'

'Rhaid imi gynghori fy nghleient i beidio ag ateb eich cwestiyna, *Superintendent*. O leia, ddim nes y bydda i fy hun wedi cael cyfle i ymgynghori efo fo ynglŷn â'r datblygiada diweddara 'ma.'

'Digon teg, Mr Lloyd Fletcher, ond dwi'n gobeithio y byddwch chi'n rhoi cyngor a fydd er ei les o.'

Dwi'n gweld rwbath tebyg i rybudd yn llygad Charles Conway, fel 'tai o'n gosod amoda.

' . . . Robert Meredith Cairns, mi fyddwch chi'n ymddangos gerbron ynadon y ddinas hon am hanner awr wedi deg bore fory. Gwrandawiad byr fydd hwnnw i drosglwyddo'ch achos i Lys y Goron.'

Yna mae o'n hysbysu'r tâp mewn llais swta ei fod yn terfynu'r cyfweliad.

'Gyda llaw, Cairns, mae Ditectif Inspector Holloway a finna wedi bod yn cael golwg ar dystiolaeth ddiddorol iawn yng nghofnodion diweddara'ch dyddiadur . . . ' Mae'r diawl hunanfodlon ar ei ffordd allan o'r stafall erbyn rŵan. 'Tystiolaeth ynglŷn â'ch taid, Joseph Cairns. Fe wyddoch am be dwi'n sôn!'

'Doedd o ddim *yn* daid imi!' Dwi'n clywad fy hun yn gweiddi. 'A does gynnoch chi ddim busnas . . . '

'Yn ôl pob cofnod cyfreithiol, Joseph a Gladys Cairns oedd eich taid a nain chi'n de?'

* * *

Er mor wlyb ac oer ydi hi wrth imi gael f'arwain i'r fan ddulas efo'i ffenestri trwchus, llwyd-ddu, eto i gyd mae'r awyr iach fel rhyddid yn fy sgyfaint. Nid 'mod i'n deisyfu llawar ar hwnnw, mwyach. Be ydi rhyddid, wedi'r cyfan? A rhyddid i be? I ddychwelyd i dŷ gwag? I godi bob bora a mynd i 'ngwely bob nos heb weld gwynab cyfeillgar na chlywad llais o gysur? I ddiodda oria hir di-gwsg? Does dim gwaeth unigrwydd nag unigrwydd canol nos. A does dim rhyddid i ddyn sy'n methu dengyd rhagddo'i hun.Y rhyddid gora gen i fasa'r rhyddid i roi 'nwylo ar fy mhotal dabledi.

Dwi wedi meddwl llawar iawn am Nhad, neithiwr. Rhyw ddigalondid fel f'un i oedd yn pwyso ar ei feddwl ynta hefyd, mae'n siŵr gen i. Ac er nad oedd o'n unig, does bosib, nid efo gwraig a thri o blant ar ei aelwyd yn gwmni, eto i gyd, mi oedd o'n gaeth i'w gloffni ac i'w fagla. A phwy ŵyr pa ddifrod a wnaed yn ei ben gan sŵn gynna a magnela'r drin? O feddwl yn ôl, ac o ddychmygu sut fagwraeth gafodd o gan ei rieni maeth, falla'n wir imi fod yn annheg yn fy meirniadaeth ohono. Wedi'r cyfan, mae 'na fwy nag un math o unigrwydd.

Dwi wedi meddwl llawar am Andrew Cairns hefyd ac am eironi'r hyn sydd wedi digwydd. Ei ddyddiaduron o yn gyfrwng i ddileu pob amheuaeth yn ei gylch, ond fy nyddiaduron i yn gneud rhywbeth cwbwl groes. Be ddeudodd Holloway amdanyn nhw? – *'Tystiolaeth fydd yn ddefnyddiol iawn i ni ac yn ddamniol i chitha.'*

Byr ond ara ydi'r daith, wrth i'r fan orfod aros bob yn ail â pheidio i roi lle i siopwyr wau fel morgrug ar draws y ffordd o'i blaen.

'Duw a'n helpo ni! Mae'r tymor lloerig wedi dechra!'

Y gyrrwr sydd yn gweiddi dros ysgwydd ar y ddau blismon, un ohonyn nhw'n eistedd wrth ei ochor, a'r llall gyferbyn â fi yng nghefn y fan.

'Ia. Fel hyn fydd hi rŵan, o hyn tan y Dolig.'

Gan 'mod i ar goll yn fy ngofid, does gen i ddim syniad, na diddordab chwaith, pa un o'r ddau sydd wedi atab. Mae eu sgwrs yn perthyn i fyd arall.

'Gwaethygu neith hi! . . . A chyn y cawn ni gyfla i droi, mi fydd hi'n amsar bargeinion dechra'r flwyddyn. Mae pobol wedi mynd yn hurt bost . . . Dyma ni! Diolch i Dduw!'

Mae'r symud yn peidio ac mae'r ddau yn codi i dynnu un wrth bob braich imi, nes bod y cyffion yn brathu fy ngarddyrna. Dwi'n disgwyl gweld golygfa gyfarwydd – grisia marmor yn dringo i lwyfan efo pedair colofn Dorig urddasol, dwy bob ochor, yn codi ohono, a drysa o dderw gola yn agor yn hunllefus o 'mlaen. Ond yn lle hynny, does dim ond stryd gefn ddiaddurn efo gwterydd dyfnion yn traflyncu dŵr y ffordd yn swnllyd.

'Dyma nhw'n dŵad!'

Y dreifar sydd wedi gweiddi, fel pe bai'n cyhoeddi ffaith oedd yn hysbys iddyn nhw eisoes, ac wrth i sŵn y dwsina traed nesu, mae'r ddau blismon o boptu imi yn prysuro i daflu blancad drwchus dros fy mhen a'm hysgwydda, gan fy ngyrru i dywyllwch ac i unigrwydd gwaeth na dim a brofais hyd yma. Dwi'n teimlo craster y brethyn ar fy moch a thrwy wallt tena fy nghorun, ac mae ei ogla stêl yn llenwi fy ffroena. Mae o hefyd yn cosi fy ngwar ond fedra i ddim codi llaw i grafu, oherwydd llyffethair y cyffion. O'm cwmpas, mae'r byd yn llawn o sŵn gweiddi cynhyrfus a chlician camerâu, ac mae'r glaw i'w deimlo'n treiddio'n oer trwy'r flancad. Er mai fi ydi canolbwynt yr holl sylw, dwi'n teimlo'n gwbwl unig ac esgymun.

Drws cul sy'n arwain i stafelloedd cefn y llys. Dwi'n gwbod oherwydd mai wysg fy ochor y caf fy nhynnu a'm gwthio'n ddall i mewn i'r adeilad. Yna mae'r cynnwrf yn cael ei fygu gan belltar, a chan ddrws yn cau o'm hôl, ac mae'r blancad yn crafu fy ngwynab ac yn plycio wrth bob blewyn unigol o'm gwallt wrth iddi gael ei llusgo oddi ar fy mhen.

'Diolch i Dduw! Fe aeth hyn'na heibio'n weddol hawdd.'

Mae gan y plismon hawl i'w farn, ond does dim rhaid i mi gytuno efo hi.

Dwi'n cael fy nhynnu'n ddiseremoni ar hyd coridor ar ôl coridor moel, rownd corneli siarp ac i fyny grisia serth, nes aros o'r diwadd wrth ddrws caeedig. Byr ydi'r oedi yn fan'no cyn cael ein galw i mewn i lys sy'n llawn gelyniaeth a gola clinigol oer. Mae'n llawn pobol hefyd ac mae eu clebran yn bywiogi ac yn cyffroi wrth imi ymddangos a chael fy arwain i'r doc. Does dim un gwynab cyfeillgar yn y lle. Yn sefyll yn y cefn, wrth y drws, mae Mam, efo Edith a Marjory o boptu iddi, i gynnal ei breichia. Mae hi'n welwach na dwi'n cofio, ac mae ei lliw yn dwyn gwynab Whitey yn ôl i gof. Does dim sôn bod Harold yma'n gwmni iddi, a dwi'n falch. Ond mae Mrs T. yma! Biti na fydda hi'n gallu gorchymyn agor y drysa *yma* led y pen. Ac mae Katie yma! Mae ei gweld, yn fechan ac yn llwyd yng nghongol bella'r stafall, yn mynd â fy ngwynt. Rhwng düwch ei gwallt a düwch ei gwisg, fedar neb ama'i galar.

Mae ynadon y Fainc, pump ohonyn nhw – tri dyn a dwy wraig – wedi'u dyrchafu bron ddwylath yn uwch na phawb arall. 'Edrychwch i fyny arnon ni,' ydi'r awgrym. 'Edrychwch i fyny ar eich gwell.' Dwi'n nabod dau o'r diawliaid, a thynnwn i mo 'nghap i'r un o'r rheini. Un o'r merched sy'n llenwi'r gadair ganol, felly hi, dwi'n cymryd, ydi'r Cadeirydd. Mae ei llygaid yn llym tu ôl i sbectol weiran aur ac uwchben rasal o drwyn. Crebachlyd ddi-liw ydi'i gwefusa main hi a synnwn i ddim nad oes ganddi dafod deifiol. Rêl madam!

Dwi'n gweld Charles Conway yn codi a dwi'n clywad ei lais yn deud rwbath. Yna dwi'n clywad y ddynas flin yn gofyn rhyw gwestiyna neu'i gilydd ac yn derbyn atebion. Mae Holloway yn deud rwbath eto ac mae'r pump yn ymgynghori mewn rhes bwysig. Cwestiwn arall ac mae Mervyn Lloyd Fletcher yn neidio i'w draed ac yn atab yn ei lais petrus, meddal. Ac yna, efo datganiad byr gan Madam, sy'n cynnwys rwbath am ' . . . sesiwn nesaf llys y Goron . . . ', mae'r cyfan drosodd. Dwi'n gweld Mam yn crio wrth gael ei harwain gan Edith a Marjory am y drws ac mae'r ddau blismon yn fy arwain inna i gyfeiriad gwahanol.

'Llongyfarchiada, Inspector Holloway!'

Mae'r llais uchel yn peri imi sefyll yn stond a dal yn erbyn y ddau blismon sy'n tynnu wrth fy mreichia, nes eu bod nhwtha'n bodloni ar oedi ennyd i weld be sy'n digwydd. Mae'r ynadon wedi diflannu'n barod i'w stafall fach bwrpasol ac mae llawr y llys eisoes wedi dechra gwagio, ond mae Mam, yn ei chwilfrydedd, hefyd wedi oedi ac wedi dal fy nwy chwaer yn ôl. Dydi Kate ddim wedi symud o'i sedd.

Mae Holloway yn sefyll ar ganol y llawr, ochor yn ochor efo Charles Conway, ac yn gwynebu'r sawl sydd newydd weiddi arno. Dyn papur newydd ydi hwnnw, ac mae fflyd o bobol eraill y wasg yn heidio ymlaen hefyd efo'u cwestiyna.

'Llongyfarchiada dwbwl ichi! Fedrwch chi roi mwy o fanylion am y stori fawr?'

Erbyn hyn mae o wedi codi copi o rifyn cyfredol o'i bapur ei hun, sef y *Daily Post*, er mwyn i Holloway ddarllen pennawd y dudalen flaen, a dwi'n gweld eraill yn gneud rhywbeth tebyg efo'r *Sun* a'r *Express*, y *Telegraph* a'r *Mail*. Mae llythrenna pob un yn sgrechian yn fawr ac yn ddu arnaf. *MERSEY DOCKS STRANGLER NAMED AT LAST* medda un; *MERSEY DOCKS STRANGLER FINALLY IDENTIFIED* medda un arall. *85 YEAR OLD MYSTERY SOLVED* medda'r *Express*, *MERSEY DOCK STRANGLER'S GRANDSON ACCUSED OF DOUBLE MURDER* medda'r *Telegraph*. Dwi'n gweld y boen ar wynab Mam yn cynyddu wrth iddi droi i adael y llys. Mae'n eironig mai'r geiria sy'n fy mrifo i fwya ydi pennawd y *Daily Post* ei hun, pennawd sy'n llenwi tudalen gyfan – *DOUBLE TRIUMPH FOR CHESTER DETECTIVE*. Mae Charles Conway yn torsythu'n bwysig ac mae'r wên ar wynab Holloway yn lledu wrth iddo gamu mlaen i atab eu cwestiyna. Fo, nid fi, wedi'r cyfan, fydd yn llunio'r atodiad i ail argraffiad llyfr John Davey! Fo, nid fi, fydd â gwynab Anthony Hopkins ar y sgrin!

Fy unig gysur wrth gael fy nhynnu unwaith eto trwy goridora cefn y llys ac allan o'r sŵn a'r sylw, ydi na all petha fynd dim duach. Carchar oes sy'n fy nisgwyl a dydw i ddim isio meddwl dim pellach na hynny. Mae un peth yn siŵr – Wela i mo Mam byth eto. Na Marjory nac Edith chwaith. A be fydd yn digwydd i Boston House? Ac i Kate? Pa fath fywyd fydd bywyd heb Kate? Dduw mawr! Faint gwaeth all petha fod? Be ydi gwir ddyfndar anobaith a thristwch?

'Dwi isio gair efo 'nghleient cyn iddo fo adael.'

Gadael? Am be mae Mervyn yn sôn? Be 'di'i frys o? 'Pam? Lle maen nhw'n mynd â fi?'

'Mi fydd raid iti fynd i ganolfan gadw nes bydd hi'n amser i'r achos ddod gerbron Llys y Goron.'

'*Remand centre?* Uffar dân! Yn lle?' Mae petha'n dduach yn barod.

'Does dim lle yn Hindley, Wigan, mae'n debyg. Maen nhw'n sôn rŵan am naill ai Low Newton yn Durham neu North Allerton yng ngogledd Swydd Efrog.'

'Diawl erioed! Fedri di ddim gneud rwbath, Mervyn?' Dwi'n gwbod mor bathetig ydi'r cais, ond be wna i?

'Gwranda, Robert! Paid â chrio! Mae'n bwysig dy fod ti'n cadw d'ysbryd. Rhaid iti beidio anobeithio . . . '

Haws deud na gneud! Hawsach fyth iddo fo na fi.

' . . . Dwi wedi bod yn gneud ymholiada. Mae Arwyn Walters Q.C. yn barod i gymryd dy achos di. Mae o wedi cael golwg sydyn ar betha ac mae o o'r farn fod gynnon ni le cry i ddadla cyfrifoldeb lleihaëdig – *diminished responsibility* – a gobaith da o lwyddo.'

'Llwyddo?' Oes 'na ola ym mhen draw'r twnnal wedi'r cyfan?

'Os gallwn ni ddadla nad oeddat ti, oherwydd dy salwch, yn gyfrifol am be wnest ti, yna fydd dim rhaid iti fynd i garchar.'

Oes, *mae* 'na lygedyn! 'Be? Y ca i fynd yn rhydd?'

'Ddim yn hollol . . . '

Dydw i ddim yn licio'i wên dosturiol o.

' . . . Mi fyddai'n rhaid iti dreulio dy ddedfryd mewn sbyty yn hytrach nag mewn carchar. Sbyty dan warchodaeth dwi'n feddwl.'

Alla i ddim credu be dwi'n glywad. 'Be? Sôn am *seilam* wyt ti?'

'Ddim yn hollol. Ond fe gaet ti ofal da yno, a thriniaeth arbenigol at dy gyflwr.'

Fy nghyflwr? Be uffar ydi fy nghyflwr i? 'Dydw i ddim isio treulio gweddill f'oes yng nghanol pobol-ddim-yn-gall a dynion mewn cotia gwyn, siŵr dduw!'

'Fydd petha ddim mor ddrwg â hynny. Sut bynnag, be 'di dy ddewis di, Robert?'

'*Rhaid* inni fynd â'r carcharor rŵan, syr.'

Tu allan i'r drws agorad mae'r fan yn aros, a'r camerâu wedi crynhoi'n llygadog o'i chwmpas. Rhyngof i a nhw mae'r coridor yn wag ac yn unig.

'Un gair arall cyn ichi roi'r blanced dros ei ben! . . . Rhaid imi ofyn iti, Robert, be dwi i fod i neud ynglŷn â Cartland & Cartland yn Ohio. Roeddan nhw ar y ffôn ddoe yn egluro amoda'r ewyllys. Chân nhw ddim trosglwyddo'r tir i enw neb arall o'r teulu nes iddyn nhw dderbyn prawf fod enw Andrew Cairns wedi cael ei glirio o lofruddio Alice Gray. Dim problem yn fan'na, oherwydd mae'r prawf i'w gael ar dudalen flaen pob un bron o bapura bora heddiw. Ond mae 'na amoda eraill hefyd, os cofi di. Mae disgwyl iti fynd i Columbus Junction i hawlio'r etifeddiaeth ac i osod bloda ar fedd dy . . . dy daid. Yn anffodus, mae dy sefyllfa bresennol di yn ei gneud hi'n amhosib iti fedru cwarfod yr amoda hynny . . . '

Be ddiawl sy'n bod arno fo na fasa fo'n sylweddoli mai'r peth ola ar fy meddwl ar adag fel hyn ydi darn o dir diwerth bedair mil o filltiroedd i ffwrdd?

' . . . Dwi'n sylweddoli nad dyma'r lle na'r amser i sôn am y peth, Robert, ond dwi'n rhwym o neud, gan mai fi sy'n dy gynrychioli di. Ti'n gweld, y rheswm pam dwi'n crybwyll y peth rŵan ydi fy mod i wedi clywed bod rhywun arall o'r teulu heblaw chdi yn trio hawlio'r ewyllys, ac y gelli di golli'r cwbwl . . . '

'Anghofia fo, wir dduw!'

Mae o'n edrych yn ansicir arna i cyn atab. 'Iawn 'ta, os dyna wyt ti isio. Ond mae'n debyg fod y tir – deg acar ar hugain ohono fo – wedi'i leoli o gwmpas yr hen orsaf, yng nghanol tre Columbus Junction erbyn heddiw, a'i fod o'n cael ei styried yn dir adeiladu gwerthfawr iawn. *'Prime real estate'* oedd y disgrifiad. Yn ôl Cartland & Cartland mi all y pris, ar ocsiwn, gyrraedd o leia dair neu bedair miliwn o ddoleri.'

'Faint?'

Mae Mervyn yn gwenu'n dosturiol wrth glywad fy llais yn codi ac yn crygu'r un pryd, ond dydi o ddim yn trafferthu ailadrodd y swm.

'Pwy arall o'r teulu sy'n trio gosod hawl ar yr ewyllys?' Edith neu Marjory sydd gen i yn fy meddwl, nes cofio nad oes yr un ohonyn nhw yn cario snâm y teulu.

Yn ei ddull cythruddol ei hun, mae Mervyn yn cymryd ei amsar cyn atab ac mae'r ddau blismon unwaith eto'n dechra plycio'n ddiamynadd yn fy mreichia.

'Dy gefndar, Paul Timothy Cairns.'

Mae düwch mwy na düwch blancad yn syrthio drosta i wrth imi deimlo fy hun yn cael fy llusgo i gyfeiriad y drws.

e – young

WINSOME PINNOCK

duced at the Royal Court Theatre Upstairs in 1996.
are needed for the drugs trade. Preferably young girls who
ney, enjoy air travel and taking risks. Bridie works in the
office. Her job is to recruit the girls. Lou and Lyla were
p in a bar in Jamaica, **Allie** in a London street.
scene **Allie** is with Bridie in a London hotel. She has just
ed her first assignment.

by Faber & Faber, London

cene 10

ll through the flight I wanted to scratch my head . . .
nd I don't want to wake him up.'
Going through customs . . .

ng Bridie's one line and finishing:)

I was.'

die also has an excellent speech in scene 9 when she pretends
stage and then goes on to describe the various forms of death
een in the drugs trade.

Pearl – rural, 20s

HOUSE AND GARDEN ALAN AYCKBOURN

First produced at the Stephen Joseph Theatre, Scarborough in 1999
and subsequently at the Royal National Theatre on the Lyttleton and
Olivier stages in August 2000. *House and Garden* consists of two plays
that can be performed at the same time on two separate stages –
although each play is complete in itself. This scene is from *Garden*.

Pearl is a member of the domestic staff and could be described
as a casual cleaner. She is the daughter of the housekeeper, Izzy.
Both mother and daughter live with Warn, the gardener and **Pearl**
spends most of her working hours bringing him his lunchbox, or
fighting with her mother over him. Warn takes all this for granted.
In this scene she has just brought Warn his 'levenses.

Published by Faber & Faber, London

Garden – Act I scene 1
START: 'Here. Brought you your 'levenses . . .
TO: . . . You want to get a stick and clean it out.
(Note: This is an excellent comedy scene and runs approximately four
minutes. If you need a shorter speech it can be cut quite easily, as
follows:)

AT: . . . That's all I'm saying. Know what I mean?'
Or
AT: . . . I'm easy. I don't care.'

Nazreen – South Asian, 17
IN THE SWEAT NAOMI WALLACE
AND BRUCE MCLEOD

This is one of the plays for young people performed at the Royal National Theatre in 1997.

The action takes place in a derelict synagogue in Spitalfields, London where four young people, Fitch, Scudder, Duncan and **Nazreen** meet and talk. Towards the end of the play **Nazreen** relives the scene where her elder sister was trapped in a burning phone booth.

From New Connections – *New Plays for Young People*
Published by Faber & Faber, London

Page 367

START: 'Seven years ago. Yes. Like. Seven hundred. My sister, Mahfuza, and I, we went out to use the phone. To call for flowers . . .

TO: . . . This is it. Here. Right here, isn't it? Under our feet?'

Wanda – New York, 20
KENNEDY'S CHILDREN ROBER

First performed in New York City it premier
Head Theatre, Islington in 1974, later
Theatre in 1975.

It is set in a bar on the Lower East
Throughout the action the characters
thoughts, reliving happy times and momen
acknowledge each other or speak direc
Drinks are bought as needed, paid for,
again.

Wanda works for a fashion magazine
photos. At the opening of the play she si
papers.

Published by Samuel French, London

Act I

START: 'For me, it was the most important da
TO: . . . The President's been shot in Dallas!'

Note: Wanda *has other speeches that can be*
It is also worth looking at the characters Ron

All
MUL

First p
in Girl
need
Londo
picked

In t
an
compl

Publish

Act I

START
TO:
CUT TO
(On

. . . A

Note:
to 'die
she h

Mother Peter – middle-aged

ONCE A CATHOLIC MARY O'MALLEY

First produced at the Royal Court Theatre, London in 1977 and set in the 1950s in the Convent of Our Lady of Fatima – a grammar school for girls in North London.

Mother Peter is an Irish teaching nun. In this scene she is addressing Form 5a about the importance of wearing the correct school uniform. She holds up a pair of regulation knickers.

Published by Amber Lane Press, Charlbury, Oxfordshire

Act I scene 2

START: 'Now you all know what this is, don't you? . . .

TO: . . . I'll collect the cash first thing tomorrow morning'

CUT TO: 'Well, now 5A, we've a hard year's work ahead of us.

FINISH: . . . election of a captain of the form.'

Old Edie – Warwickshire/Coventry, 82
A WARWICKSHIRE TESTIMONY
APRIL DE ANGELIS

First presented by the Royal Shakespeare Company at The Other Place, Stratford-Upon-Avon in 1999. The play takes place in a small Warwickshire village and is written around the 'testimonies' of members of the local community.

Throughout the action we see fragments of **Edie**'s life – as a young girl, a grown woman having moved away from the village, and finally back in the family cottage as an old woman.

Published by Faber & Faber, London

Part Two scene 15
START: 'Blinkin' hell . . .
TO: . . . Me real life.'

useful addresses

The Academy Drama School,
189 Whitechapel Road,
London, E1 1DN
Tel: 020 7377 8735

The Actors' Theatre School,
32 Exeter Road,
London, NW2 4SB
Tel: 020 8450 0371

The British Library,
St Pancras,
96 Euston Road,
London, NW1 2DB
Tel: 0870 444 1500

Penny Dyer
Dialect Coach
Tel: 020 8543 2946

Barry Grantham,
806 Howard House,
Dolphin Square,
London, SW1V 3PQ
Tel: 020 7798 8246

London Academy of Music and
Dramatic Art (LAMDA),
155 Talgarth Road,
London, W14 9DA
Tel: 020 8834 0500

New Era Academy,
ED Examination Board,
137b Streatham High Road,
London, SW16 1HJ
Tel: 01905 830915

Offstage Theatre and Film
Bookshop,
37 Chalk Farm Road,
London, NW1 8AJ
Tel: 020 7485 4996

Royal Academy of Dramatic Art,
62/64 Gower Street,
London, WC1E 6ED
Tel: 020 7636 7076

Spotlight, (*Casting Directory and
Contacts*)
7 Leicester Place,
London, WC2H 7BP
Tel: 020 7437 7631

copyright holders

Extract from *Tantalus* by John Barton. Reproduced by permission of Oberon Books Ltd. Published by Oberon Books, London.

Excerpt (abridged) from *Three Women and a Piano Tuner* by Helen Cooper. Published by Nick Hern Books, The Glasshouse, 49a Goldhawk Road, London W12 8QP.

Excerpt (abridged) from *Through a Cloud* by Jack Shepherd. Published by Nick Hern Books, The Glasshouse, 49a Goldhawk Road, London W12 8QP.

Extract from *Top Girls* by Caryl Churchill. Reproduced by permission of Methuen Publishing Ltd.

Extract from *Topless* by Miles Tredinnick. Reproduced by permission of Comedy Hall Books, 26 Vermeer Court, Rembrandt Close, London E14 3XA.

Extract from *The Turn of the Screw* © Jeffrey Hatcher. Reproduced by permission of Dramatists Play Service Inc and Josef Weinberger Ltd.

An excerpt (abridged) from *The Weir* by Conor McPherson. Published by Nick Hern Books, The Glasshouse, 49a Goldhawk Road, London W12 8QP.

Extract from *A Woman Alone* by Franca Rame and Dario Fo. Reproduced by permission of Methuen Publishing Ltd.

Every effort has been made to trace and acknowledge copyright owners. If any right has been omitted the publishers offer their apologies and will rectify this in subsequent editions following notification.

young

TANTALUS JOHN BARTON

First performed at the Denver Center for the Performing Arts in October 2000 and transferred to the Barbican Theatre, London in May 2001 after a short tour. *Tantalus* is the epic tale of the Trojan War, described as a crusade which became a catastrophe. It is divided into three parts, *The Outbreak of War*, *The War*, and *The Homecoming*, and is made up of ten plays, one of which is *Odysseus*.

In this play Troy has been overthrown and King Priam slain. Queen Hecuba and the Trojan Women have been taken captive. At the opening scene they are all sitting or lying around the fire as Odysseus enters with his soldiers bearing food. He treats them kindly, commiserating on the death of their king and the burning and looting of Troy, which he excuses as an unavoidable mistake. He explains that they have, as is the custom, been chosen as war prizes. He himself has chosen Hecuba - not for his bed - but to protect her as she once saved his life. Neoptolemus, the slayer of Priam will have two prizes, one for himself and one for his dead father, Achilles. This second choice has fallen on Hecuba's daughter, **Polyxena**. Hecuba protests wildly, but Odysseus replies that he has no say in the matter. Polyxena tells her mother to be quiet. She knows that to be the prize of a dead man means human sacrifice and explains why she is prepared to die.

Published by Oberon Books, London

Polyxena

You must stop this, mother,
Be quiet and listen to me
After Achilles died
Cassandra told me what would happen
But I shut it out of my mind
As you are trying to do now
Quiet, Mother, You have spoken
Fine words about the future
Because it's against the rules
For those who govern kingdoms
To dare to speak the truth.
You left out the one word that matters:
We are slaves. Each one of you